UN VILLAGE ÉTRANGE

FLORIAN DENNISSON

ISBN : 979-10-95383-42-0

À Alexis, Mélissa, Emma & Hugo

CHAPITRE I

Dire que je déteste les voyages scolaires serait mentir. J'aime me retrouver avec les copains de ma classe en dehors de l'environnement du collège et souvent, on découvre que les profs qui nous accompagnent sont beaucoup plus sympas qu'ils n'y paraissent. C'est étrange comme une seule et même personne peut avoir deux faces totalement différentes de sa personnalité. J'aime aussi quand on doit partir plusieurs jours et passer des nuits dans des hôtels bon marché ou des auberges de jeunesse. J'ai toujours l'impression qu'on part à l'aventure et souvent le trop-plein d'excitation fait qu'on n'arrive pas vraiment à trouver le sommeil ; on ne veut rien rater et on se retrouve ainsi à être le dernier à s'endormir.

Alors c'est vrai, je ne déteste pas les voyages scolaires pour toutes ces raisons et bien d'autres encore, mais cette fois-ci, les conditions de notre périple étaient affreuses.

La température avoisinait zéro degré, nous étions toute la journée à l'extérieur, à visiter des ruines en claquant des dents, et pour couronner le tout, une tempête de neige se levait. La veille, on avait visité la cité médiévale de Carcassonne et on était de retour dans le car pour une nouvelle destination : le château de Montségur.

Étant donné que l'étude des cathares figurait au programme d'histoire-géo de cinquième et après les événements[1] qui s'étaient déroulés l'année dernière dans notre petite ville, les deux profs de mon collège dispensant cette matière – dont ma mère – avaient décidé d'organiser un voyage scolaire de plusieurs jours dans le sud de la France.

Thomas et moi avions repris notre place habituelle : pas tout à fait au fond, mais assez éloignés des adultes, et du chauffeur qui n'arrêtait pas de parler avec toutes les personnes qui étaient assises dans un rayon de trois rangées de sièges autour de lui.

Les places qu'on avait choisies étaient situées dans un endroit stratégique pour ne pas subir les questions des profs et pas trop près non plus du chahut habituel du fond du car. On pouvait profiter de la bonne ambiance et des nouvelles blagues tout en étant hors de portée des batailles d'eau et de nourriture.

— Hé, regarde ça ! m'a dit Thomas alors qu'il

avait les yeux rivés sur l'écran de son téléphone portable. La vidéo de ton interview est en ligne.

Je me suis penché de son côté pour mieux voir. Thomas a augmenté le volume et, intrigué, Farid, qui était assis juste devant nous, a pointé sa tête au-dessus du dossier de son siège.

— C'est l'interview dans laquelle tu parles de ce que t'as découvert près de chez toi ? m'a-t-il demandé en souriant.

— Ouais, c'est des gars d'une petite chaîne YouTube qui sont venus faire une sorte de documentaire, il y a un mois.

Thomas a tourné son visage vers moi en écarquillant les yeux.

— Une petite chaîne ? Ils ont presque trois cent mille abonnés, c'est pas vraiment *une petite chaîne.*

— Si ça fait des vues, tu pourrais peut-être penser à monter ton propre podcast, a enchaîné Farid. Un pote de mon cousin, il fait ça. Il a même pas seize ans, il gagne plus que ses parents. Il a arrêté l'école et tout.

Tout le monde a toujours un cousin qui a un pote qui fait des choses extraordinaires. Mais Farid avait sûrement raison, j'avais déjà entendu plein d'histoires d'enfants presque millionnaires grâce à Internet.

— Je sais pas trop ce que je pourrais raconter... ai-je répondu en haussant les épaules.

— Des trucs de trésors, a dit Farid, tout le monde adore les histoires de trésors.

Un parent d'élève a crié quelque chose – probablement en rapport avec le fait qu'il fallait attacher sa ceinture – et la tête de Farid a disparu d'un seul coup, pareil à un petit animal qui rentre dans son terrier.

Thomas regardait toujours la vidéo en souriant. Il avait l'air fier de moi. Ça m'a fait sourire à mon tour.

Après à peine une heure de route, notre car s'est littéralement enfoncé dans la tempête de neige. Un brouillard effrayant occultait la vue et j'ai senti le moment où nous avons pénétré la masse nuageuse. Des flocons durs comme de la grêle ont frappé les vitres et le pare-brise de plein fouet et, tout autour de nous, il n'y avait que du gris à perte de vue. Le chauffeur a actionné les essuie-glaces, mais même à pleine cadence, on voyait à peine la route.

Thomas avait consulté une application météo sur son téléphone et toute la région était en alerte « neige-verglas ». Il paraît que les gens du coin n'avaient pas vu ça depuis au moins cinq ans et autant de neige dans cette partie pourtant si ensoleillée de la France, depuis plus de trente.

Si Thomas n'avait pas été avec moi pendant ce voyage, jamais je n'aurais eu toutes ces informations. Lui avait un smartphone et moi, une espèce de téléphone d'un autre âge avec un minuscule écran monochrome qui ressemblait plus à une brique électronique qu'autre chose. Mes parents avaient avancé l'argument imparable que c'était amplement suffisant. Pouvoir les appeler en cas de problème et être joignable à tout moment étaient les deux seules fonctions qui avaient de l'importance à leurs yeux.

Pendant que Thomas faisait des aller-retour entre une autre vidéo sur YouTube et ses messages personnels, j'ai essuyé avec la manche de ma veste la buée qui s'était accumulée sur le carreau. Dehors, sur l'autoroute, les véhicules roulaient au pas, phares antibrouillards allumés, la neige recouvrant toutes les surfaces à une vitesse impressionnante. Le ciel était si chargé et la brume si épaisse qu'on n'aurait pas pu deviner si c'était le jour ou la nuit.

Soudain, le chauffeur pila et un cri de stupeur se propagea comme une vague depuis l'avant du car. Nos têtes avaient failli heurter les sièges devant nous, mais nos ceintures avaient stoppé net nos corps en mouvement. Nous nous sommes arrêtés complètement et j'ai levé le regard pour tenter de voir ce qu'il se passait. Des gyrophares de police, un camion de pompiers et, au loin, battu par les bourrasques de neige, un énorme véhicule couché sur le flanc, en travers de la route. Un car. Semblable au nôtre.

À l'occasion de ce voyage scolaire, les deux classes de cinquième du collège étaient parties, réparties dans deux cars. J'ai dégrafé ma ceinture et j'ai voulu m'approcher pour essayer de distinguer un peu mieux les détails de l'accident, mais ma mère nous a tous ordonné de rester assis.

Un frisson a parcouru ma colonne vertébrale à l'idée que le car renversé au milieu de l'autoroute puisse être *l'autre* car. Celui dans lequel voyageait la classe d'Amanda...

CHAPITRE 2

Amanda avait redoublé son année suite aux problèmes qu'avait provoqués le divorce compliqué de ses parents. C'était ma voisine depuis toujours et comme nous avions partagé une aventure hors du commun[1] ensemble, nous nous étions rapprochés. Mais quand son père avait obtenu sa garde à mi-temps, je ne l'avais plus vue aussi souvent. Sa situation familiale avait l'air de l'affecter profondément, elle n'était plus vraiment la même, en tout cas avec moi. Elle avait perdu sa bande d'amis en repiquant et, pour sa seconde cinquième, elle s'était naturellement rapprochée des deux filles les plus âgées de sa classe qui elles aussi étaient redoublantes. À partir de ce moment-là, les seuls rapports que j'avais eus avec Amanda s'étaient limités à un signe de la main à l'arrêt de bus près de chez nous, le matin et le soir, avant et après le collège et une semaine sur deux. Autant dire, pas grand-chose.

Heureusement pour moi, du côté de Thomas, tout allait pour le mieux. Il était toujours mon meilleur pote, plus que jamais, et la chance nous avait placés dans la même classe cette année-là. De quoi faire oublier mes petits tracas avec ma voisine.

Un gendarme s'était approché de la fenêtre du conducteur et avait expliqué au chauffeur et aux adultes à l'avant du car que la route allait être bloquée de longues heures et qu'avec la tempête qui faisait rage, il était plus que probable que l'autoroute soit fermée une bonne journée encore. Il nous avait conseillé de faire demi-tour et c'est ce que nous avons fait.

— Tu crois que c'est le car de l'autre classe ? ai-je demandé à Thomas, dont le visage semblait aussi inquiet que le mien.

— Je sais pas trop... On voit rien. Et puis tous les cars se ressemblent, surtout quand on n'en voit que le dessous.

Ma jambe droite bougeait toute seule, nerveusement. Je fais ça quand je suis stressé et ma mère a horreur de ça, mais j'y peux rien, c'est un réflexe. Thomas l'a tout de suite remarqué et il a mis une main amicale sur mon épaule :

— Les profs et les parents n'ont pas l'air plus choqués que ça, là, devant. Si c'était le car des autres cinquièmes, ils seraient complètement affolés, tu crois pas ?

— Sauf s'ils ne veulent pas nous inquiéter, ai-je répondu.

Les propos de Thomas firent leur petit bout de chemin dans mon cerveau. Il n'avait pas tort après tout. Les battements de mon cœur se sont un peu calmés.

Après quelques minutes de route dans l'autre sens, nous avons fait une halte dans une station-service. Dehors, la neige nous giflait les joues et Thomas et moi avons couru comme des damnés à travers les flocons jusqu'à nous retrouver à l'abri dans la supérette.

Tous les élèves se sont dispersés en petits groupes. Exactement les mêmes que dans la cour de récré, quand j'y repense. Thomas et moi, on se baladait dans les rayons à la recherche de biscuits ou de sucreries. Une manière de détourner nos pensées de l'accident.

Alors que je soufflais dans mes mains toujours glacées pour redonner un semblant de vie à mes doigts, Thomas m'a donné un coup de coude :

— Hé, regarde !

Derrière les grandes baies vitrées, dans un décor apocalyptique de blancheur hivernale, un car grisâtre comme le ciel au-dessus de lui pénétrait sur le parking de la station-service. C'était celui de l'autre classe, celui d'Amanda. J'ai poussé un soupir de soulagement et Thomas m'a fixé en ricanant.

— Tu vois, fallait pas s'inquiéter, m'a-t-il dit d'une voix réconfortante.

Pour fêter ça, nous avons fait le plein de glucose et de chocolat : sachets de bonbons, paquets de biscuits fourrés et bouteilles de soda.

Pendant qu'on faisait la queue à la caisse, j'ai vu Amanda et ses deux copines sortir du bus et se précipiter à l'intérieur. Nos regards se sont croisés une fraction de seconde et le groupe de filles s'est dirigé vers les toilettes, au fond de la station. Notre complicité me manquait, j'en étais certain désormais. Il y a quelques mois, ce voyage scolaire nous aurait encore plus rapprochés et j'étais sûr qu'on aurait construit ensemble de nouveaux souvenirs inoubliables.

Thomas m'a arraché les articles des mains et s'est dépêché de les payer avant que je puisse protester. Il faisait tout le temps ça, je pense que c'était sa manière de me montrer qu'il veillait sur moi et qu'il serait toujours là quand j'aurais besoin de lui.

— Merci, Thom, lui ai-je lancé.

— T'inquiète, tu me paieras une glace plus tard.

Nos regards se sont posés sur une voiture qui s'éloignait et dont le toit était recouvert de neige. On a explosé de rire en même temps.

Au bout d'une dizaine de minutes, on s'est tous rassemblés dans le hall d'entrée, vers les machines à café, et Thomas et moi avions déjà commencé à déguster notre collation. Le groupe d'Amanda est sorti des toilettes et s'est approché, mais elle ne m'a pas adressé le moindre regard. J'avais la sale impression qu'elle avait honte de me connaître ou que tout du moins, elle ne voulait pas le montrer à ses copines. Charlotte et Samantha étaient connues pour n'en faire qu'à leur tête. À peine 14 ans et elles s'habillaient et se maquillaient déjà comme les stars de leurs comptes Instagram préférés. Le mot circulait que Charlotte sortait avec un garçon qui avait le permis et une voiture et qu'il les emmenait en boîte de nuit le week-end. Thomas et moi, on n'avait même pas encore l'âge légal pour conduire un scooter, on était à des années-lumière de leur univers. Est-ce que c'était ça que désirait Amanda après tout ? Aucune idée.

Les deux cars ont fait le tour du parking et, comme les chutes de neige se faisaient de plus en plus violentes, ils se sont garés côte à côte à quelques mètres de la sortie de la supérette. Les profs nous ont dit de regagner nos places et qu'ils feraient l'appel une fois à l'intérieur.

Thomas a fourré nos articles dans leur sac plastique et a passé sa grosse veste par-dessus pour protéger notre trésor sucré. Nous avons couru jusqu'au car et j'ai de nouveau croisé le regard d'Amanda. Tous les élèves s'étaient massés à l'entrée et la montée était ralentie par les profs et les parents qui nous faisaient passer au compte-gouttes en marquant notre nom sur une feuille de présence.

Je me trouvais à quelques centimètres d'elle et

une pulsion incontrôlable me poussa à lui adresser la parole :

— Salut, ça va ?

— Oui, bien, merci et toi ? m'a-t-elle demandé, une sorte de gêne dans la voix.

Ses deux copines étaient juste derrière elle et me dévisageaient comme si j'avais la peste.

— Quand j'ai vu l'accident de car...

Je m'étais arrêté, mes mots ne voulaient plus sortir de ma bouche, les mines moqueuses de Charlotte et Samantha me bloquaient.

— Oui ? a relancé Amanda.

— Eh ben... J'ai vraiment eu peur qu'il te soit arrivé quelque chose...

Elle a esquissé le plus minuscule des sourires et j'ai bien senti qu'elle avait voulu répondre quelque chose, mais le moment a été gâché par ses copines :

— Oh, il a eu peur, le petit Leroy, comme c'est meugnon ! a lancé Charlotte, la plus grande des deux.

— T'inquiète pas, Leroy, t'es bien en sécurité avec ta petite maman chérie ! a continué l'autre.

Je me suis retourné immédiatement pour cacher ma honte et mes joues qui commençaient à rougir. Et ce n'était pas le froid cette fois-là. Amanda n'a rien dit du tout. Thomas m'a tendu un bonbon, le rouleau de réglisse, mon préféré.

. . .

Une fois tout le monde installé dans le car, ma mère s'est levée et le brouhaha s'est apaisé, jusqu'à totalement disparaître dès ses premiers mots :

— Nous ne pourrons malheureusement pas nous rendre au château de Montségur comme initialement prévu, mais nous en avons discuté tout à l'heure entre nous et j'ai pensé à une solution alternative. Il nous reste quatre jours dans ce voyage scolaire et nous sommes à quelques kilomètres d'un petit village qui s'appelle Rennes-le-Château. Je ne sais pas si certains d'entre vous en ont déjà entendu parler, mais je suis certaine que ça vous plaira. Au début du siècle, il s'y est déroulé un événement des plus mystérieux qui a donné lieu à l'énigme la plus intrigante de l'Histoire. N'oubliez pas d'attacher vos ceintures pendant toute la durée du voyage !

CHAPITRE 3

— Reine quoi ? ai-je demandé à Thomas en fronçant les sourcils.

— Rennes-le-Château, a-t-il rectifié. Ça me dit quelque chose.

Le moteur du car a fait vibrer tout l'habitacle et il s'est engagé sur la route enneigée. Thomas a extirpé son portable d'une des poches de sa veste et a lancé un moteur de recherche. C'est à ce moment que j'ai découvert l'orthographe du nom de ce village.

— Tiens, regarde ! s'est-il écrié en pointant de son index un court article de blog.

Nous avons alors lu en silence :

« Rennes-le-Château est une petite commune du département de l'Aude qui a été rendue célèbre par une histoire incroyable, celle dite du "Curé aux milliards".

En 1891, Bérenger Saunière, l'abbé de la paroisse, aurait découvert l'existence d'un trésor qui lui aurait permis d'effectuer d'immenses travaux dans tout le village et d'y acheter de nombreux terrains sur lesquels il a fait bâtir de somptueuses villas, mais aussi des édifices étranges dont la signification reste encore à ce jour incompréhensible.

Cette histoire a cultivé l'imagination d'écrivains et d'artistes, mais aussi de scientifiques et d'archéologues qui, encore aujourd'hui, sont persuadés que le trésor de Rennes-le-Château est bel et bien caché quelque part.

Parmi les œuvres qu'a inspirées cette histoire mystérieuse, on compte notamment le célèbre roman Da Vinci Code, *vendu à plus de quatre-vingts millions d'exemplaires et traduit dans plus de vingt langues. »*

— *Da Vinci Code*, c'est pas le truc en rapport avec les Templiers, justement ? m'a demandé Thomas.

— Je crois, oui... Après ce qui s'est passé l'année dernière[1], ma mère m'avait justement acheté ce bouquin. Mais je n'ai pas eu le temps de le lire.

Voilà que je me retrouvais une fois de plus dans une histoire impliquant les chevaliers du Temple et leur fameux trésor. Coïncidence ? Quoi qu'il en soit, j'avais désormais plutôt hâte d'en découvrir plus sur cette histoire de curé et de fortune subite. Et puis, passer trois jours de plus en compagnie de mon pote Thomas à débusquer un éventuel coffre rempli de pièces d'or n'était pas pour me déranger, bien au contraire. L'année dernière, il était parti en vacances et n'avait pas pu assister à toute l'histoire, alors cette fois-ci, je comptais bien lui faire rattraper le temps perdu.

Par pur réflexe, j'ai tiré mon sac à dos de dessous mon siège et l'ai ouvert pour vérifier qu'ils étaient toujours là : mes talkies-walkies.

Au bout d'une longue heure de trajet à travers des paysages saupoudrés de neige et de petites routes verglacées, nous sommes enfin arrivés au centre du village de Rennes-le-Château. Les deux cars se sont garés sur un parking surplombé par une tour ronde en pierre dont les créneaux étaient recouverts de neige fraîche.

Tout autour de nous, quelques maisons agglutinées, une petite église sur la droite et au fond, à l'entrée du village, un vieux château médiéval délabré qui paraissait sans âge. J'avais toujours pensé qu'Arville, l'endroit où j'habite, était le village le plus petit du monde, mais autant vous dire qu'en descendant du car et en constatant la taille de Rennes-le-Château, je me suis rendu compte que je m'étais bien trompé.

Les chauffeurs nous ont ouvert les compartiments à bagages et nous avons récupéré nos affaires. La neige s'était arrêtée de tomber depuis quelques minutes déjà, mais la température avait paru descendre de plusieurs degrés. J'étais frigorifié et avec mes pieds gelés dans mes baskets qui prenaient l'eau, je tremblais comme une feuille morte.

Un petit homme rondouillard aux cheveux gras tirés en arrière s'est approché de nous et s'est présenté comme étant le propriétaire des lieux. Il avait appelé ça « le domaine de l'abbé Saunière ». Tout un programme ! Il nous a indiqué une sorte de grande maison au toit pentu enseveli sous les flocons et nous a précisé que c'était là que nous allions dormir pendant trois nuits.

J'ai regardé Thomas et il arborait un sourire éclatant. Je pense qu'il ressentait comme moi cette sorte de petit picotement, ce petit bouillonnement intérieur qui présageait un séjour excitant. Tout avait l'air teinté de mystère et les constructions autour de nous semblaient nous regarder avec une curiosité énigmatique, comme si elles se demandaient si nous étions venus là pour leur arracher un trésor millénaire ou pour tout simplement passer des vacances. Moi-même, je commençais à me poser la question.

Afin de nous répartir dans les chambres de la demeure, on avait demandé à tous les élèves de se réunir dans le grand salon. Nous avons croisé de nouveau le groupe d'Amanda qui était cette fois-ci accompagné de deux garçons. L'un d'eux était immense et semblait déjà avoir un peu de barbe tandis que l'autre, beaucoup plus petit, paraissait plutôt s'être développé en largeur tant il était musclé. Alors même que ma mère avait demandé le silence, les garçons chahutaient les filles en les chatouillant, à l'abri du regard des adultes. Et ça m'énervait.

Amanda avait gloussé et s'était mis une main devant la bouche pour couvrir ses ricanements. Mon sang était en train de bouillir et mon visage devait avoir la même couleur que la veste de Thomas : rouge fluo. Heureusement que le froid dehors avait fait rosir les joues de tout le monde : mon agacement passa inaperçu.

Thomas tirait sur la manche de mon blouson pour me dire de ne pas faire attention à eux, mais ils étaient trop près de nous et je pouvais entendre ce qu'ils se disaient, même quand ils chuchotaient

— Qu'est-ce que c'est nul, ici ! a dit soudain Charlotte, assez fort pour que j'entende, mais pas trop pour qu'aucun adulte ne puisse comprendre. Y'a rien, trois pauvres maisons et des ruines ! Je sais pas qui a eu l'idée de venir ici, mais c'est pourri.

CHAPITRE 4

La nuit était tombée sur Rennes-le-Château et ce qui était passé pour un petit village tranquille et endormi sous la neige quelques heures plus tôt paraissait désormais lugubre et inquiétant. Aucun lampadaire ne venait éclairer les rues et les adultes avaient dû utiliser des lampes de poche pour nous guider jusqu'au restaurant qui n'était qu'à quelques mètres de l'endroit où nous séjournions. Le tapis de neige avait craqué sous nos pas et des souvenirs de mon dernier séjour au ski, dans les Alpes italiennes, avaient traversé mon esprit.

Le propriétaire nous avait expliqué que le domaine tournait au ralenti pour l'hiver et qu'il avait dû appeler un cuisinier du village voisin pour pouvoir assurer tous nos repas lors de notre séjour.

Le restaurant était en fait une grande salle qui s'étirait en longueur dans laquelle des tables et des chaises dépareillées avaient été installées. Tout au bout, une immense cheminée accueillait le début d'un feu qu'un des deux cuisiniers venait juste de lancer. Néanmoins, le lieu resta glacial jusqu'à la fin du repas et certains – comme moi – ne quittèrent pas leur veste du dîner. Tout autour de nous, sur les murs en pierre, des photos en noir et blanc et de vieux articles de journaux étaient affichés. On y voyait tantôt un curé – l'abbé Saunière, j'imagine – posant devant un autel en robe d'église, tantôt plusieurs personnes avec des pelles et des pioches qui avaient fière allure, et çà et là, des unes de quotidiens qui parlaient du fameux trésor de Rennes-le-Château.

Tout le village semblait vivre autour de cette légende et j'étais prêt à parier toute ma tirelire que si cette histoire de curé aux milliards n'était jamais arrivée, Rennes-le-Château serait restée totalement inconnue du grand public.

Après le dessert, nous avons traversé les bourrasques de neige qui s'étaient remises à sévir sur le village pour nous retrouver dans le grand salon de la maison où nous avions nos chambres. Les adultes nous ont rassemblés et ils ont fait le dernier appel de la journée. Tout le monde était présent. Pas étonnant : où est-ce qu'on aurait pu aller, franchement ?

Un large escalier en bois menait aux étages supérieurs, là où toutes les chambres occupées par les élèves se trouvaient, et nous nous sommes disposés en file indienne devant les marches. À droite et à gauche, un parent d'élève et ma mère récupéraient les téléphones portables de tout le monde. Ç'avait été le passage obligé et quotidien durant cette semaine de voyage scolaire. La plupart se séparaient de leur précieux bien en soufflant ou en râlant, mais moi, avec ma brique électronique d'un autre âge, ça ne me faisait ni chaud ni froid. Et puisque nous avions quartier libre jusqu'à l'extinction des feux à 22 h 30, j'avais emprunté un jeu d'échecs provenant d'une grosse caisse en bois, près de la cheminée du salon, dans laquelle toutes sortes de jeux de société étaient empilés. J'avais vérifié qu'il ne manquait pas de pièces et Thomas m'avait jeté un regard en haussant les épaules.

Après le rituel obligatoire, nous nous sommes enfin retrouvés dans notre chambre. Elle avait l'air d'avoir des centaines d'années, comme si on avait voulu conserver le style et la décoration de l'époque dans l'espoir de l'exposer un jour dans un musée. Deux lits pour une personne étaient collés contre deux murs opposés, de part et d'autre d'une grande armoire avec un miroir, exactement comme celle chez ma grand-mère. Le sol en bois craquait, les ressorts des sommiers couinaient et les portes grinçaient. Cette énorme maison semblait se plaindre à chaque mouvement que nous faisions. Au milieu de la pièce, il y avait un vieux tapis poussiéreux sur lequel était représentée une bataille médiévale devant un château, et nous nous sommes installés dessus.

— Tu vois, là, m'a dit Thomas en tendant un bras vers le mur du fond de la pièce, j'aurais bien vu un grand écran et on aurait pu y brancher ma console et se faire de bonnes parties de FIFA toute la nuit.

— Ah, ah ! Sauf que j'ai trouvé un vieux jeu d'échecs et c'est tout ce qu'on a à se mettre sous la dent.

— Si seulement j'avais pu garder mon portable, on aurait pu regarder une série ou des vidéos. Tiens, on aurait même pu se renseigner sur ce mystérieux trésor !

— Quoi, t'es pas bien ici ? ai-je dit en contenant un rire. Regarde, il y a un grand miroir, là, sur l'armoire, tu n'as qu'à te dire que c'est un écran et laisser faire ton imagination.

Thomas m'a regardé de son air le plus sérieux pendant quelques secondes, puis il a craqué. Il a renversé sa tête en arrière et a explosé d'un rire sonore.

— Je préfère encore les échecs, merci, a-t-il repris.

— Et encore, estime-toi heureux qu'il y ait toutes les pièces !

Thomas et moi étions à peu près du même niveau, ce qui rendait nos parties intéressantes, et sa console avait beau lui manquer, quand il était pris dans une compétition, il ne voulait pas en démordre avant d'être sorti vainqueur. Je venais de le mettre en échec deux fois de suite, j'avais réveillé le féroce adversaire qu'il était.

Même les cris des garçons et les rires des filles au bout du long couloir qui distribuait toutes les chambres ne le distrayaient plus. Ses sourcils étaient froncés et il étudiait chaque coup comme si c'était le plus important de toute sa vie.

Après une heure de jeu intensive, nous étions de nouveau à égalité. L'horloge tournait et il ne nous restait qu'une seule partie avant l'extinction des feux, ce match allait être décisif.

Les cris et les rires semblaient se rapprocher de plus en plus de nous. Claquements de portes. Bruits de pas dans le couloir.

Soudain, alors que Thomas réfléchissait à comment placer son fou pour me mettre en difficulté, le silence s'invita dans la maison. C'en était presque bizarre, même, comme si on avait appuyé sur un interrupteur pour couper le son.

Non loin de notre chambre, le parquet a grincé et la porte s'est ouverte en grand, laissant apparaître une forme humaine couverte d'un drap blanc.

— Hooouuuuu hooouuuu, je suis le fantôme de l'abbé Saunière et je viens dévorer les geeks ! a hurlé un des deux imbéciles qui traînaient avec Amanda et son groupe de filles.

Elle était là, d'ailleurs, accompagnée de Charlotte et Samantha, à ricaner des pitreries que faisaient leurs deux nouveaux amis. Quand j'ai croisé son regard moqueur, un nœud s'est formé dans mon estomac. J'avais l'impression de ne plus la reconnaître.

Le plus petit des deux garçons – Kevin, je crois – nous a hurlé dessus :

— Alors, les deux joueuses d'échecs ! On s'ennuie ?

Les filles ont piaillé et le grand fantôme a failli s'étouffer de rire dans son déguisement de fortune. Tout à coup, Kevin a actionné l'interrupteur sur le mur près de lui, éteint la pièce et claqué la porte. Le brouhaha s'est ensuite déplacé vers la chambre d'à côté ou de nouveaux cris et rires ont résonné dans tout le couloir.

Je n'ai jamais compris pourquoi les idiots se sentaient obligés de tout féminiser pour tenter d'humilier les garçons. Qu'est-ce qu'il y avait de mal à être une fille ? Pourquoi, dans la bouche de certains, ça sonnait comme une insulte ? Ça n'a aucun sens quand on y pense et si j'avais été Amanda ou une des autres filles, je l'aurais personnellement mal pris. Mais ça, c'est une autre histoire.

Nous sommes restés dans l'obscurité complète pendant quelques secondes, nous demandant ce qu'il venait de nous arriver. Une tornade de bêtise avait fait irruption dans notre match à mort et on ne savait pas vraiment quoi en penser. Ça avait l'air d'en amuser certains, c'était l'essentiel.

Je me suis levé pour aller rallumer la chambre quand quelque chose à l'extérieur a attiré mon regard. À travers l'unique fenêtre de la pièce, nous avions vue sur la place du village. La nuit était totale et Rennes-le-Château plongé dans le noir, sauf pour une petite lueur qui se déplaçait, à droite du décor.

— Hé, Thomas, viens voir, lui ai-je dit en chuchotant presque.

Il s'est levé et s'est approché de moi.

— C'est pas le cimetière, là ? On dirait que quelqu'un en sort...

Une immense silhouette portant une toge surmontée d'une large capuche se déplaçait à pas lents. Dans sa main gauche, elle tenait une lanterne qui donnait des teintes rouge orangé à la neige et qui projetait des ombres inquiétantes tout autour d'elle. Dans sa main droite, l'ombre mystérieuse tenait une pelle.

Thomas et moi sommes restés comme hypnotisés pendant de longues minutes à observer la forme se déplacer quand soudain, la capuche a pivoté et on aurait dit qu'elle tournait son visage vers nous.

La silhouette a stoppé son mouvement et éteint la lanterne dans un geste rapide, comme si nous l'avions surprise en train de faire quelque chose de louche.

Le village de Rennes-le-Château était de nouveau enveloppé dans les ténèbres.

CHAPITRE 5

— Silence, s'il vous plaît ! a crié ma mère.

Nous étions en train de prendre le petit déjeuner dans la grande salle du restaurant et cette satanée cheminée, même si elle était gigantesque, n'arrivait toujours pas à chauffer l'espace. Tous les élèves grelottaient devant leur bol de céréales et pendant les premières minutes, il y avait même de la buée qui s'échappait de nos bouches quand nous parlions.

— Monsieur Plantard, ici présent, a-t-elle continué en désignant de la main le corpulent propriétaire du domaine juste à sa gauche, nous a informés ce matin que les axes routiers principaux seraient encore impraticables pendant au moins trois jours. Il nous a donc fait l'honneur de rouvrir les visites spécialement pour nous et alors que nous devions visiter le château cathare de Montségur, c'est ici, à Rennes-le-Château que nous ferons le plein de culture médiévale. Ici aussi, l'empreinte des Templiers et des cathares est toujours très présente et mon petit doigt me dit que vous ne serez pas insensibles à l'histoire que les visites de ces prochains jours vont vous raconter.

Il y a eu des murmures insatisfaits dans l'assemblée. Je pense que nous étions tous mal réveillés, nous avions froid et l'idée d'aller faire plusieurs fois le tour d'un minuscule village perdu en plein hiver ne réjouissait personne.

— Moi, je suis intrigué par cette histoire, sincèrement. Je veux en savoir plus ! m'a dit Thomas, la bouche pleine de pain beurré.

Pour toute réponse, j'ai esquissé un sourire : moi aussi, cette légende autour d'un célèbre trésor me titillait.

J'ai fait un rapide tour de la pièce et j'ai repéré Amanda. Toujours en compagnie de ses deux copines et de leurs gardes du corps : le grand Robin et Kevin, qui faisaient tous les efforts possibles pour les faire rire. Ces deux-là n'arrêtaient donc jamais !

Soudain, monsieur Plantard et un des cuisiniers apportèrent un grand tableau noir monté sur roulettes, exactement le même modèle que celui dans notre salle de mathématiques, un truc vieux comme le monde.

Ma mère s'est levée et s'est de nouveau adressée à tous :

— Nous allons établir huit groupes de visite, un par adulte.

Elle s'est dirigée vers le tableau et a inscrit les noms au sommet de colonnes tracées à la craie blanche.

— Vous viendrez inscrire vos noms ici, sept maximum par groupe. S'il ne reste plus assez de place pour être avec votre copain ou votre copine, ce n'est pas grave, vous pourrez vous en passer pour la journée, je pense. De toute façon, tout le monde ne pourra pas être satisfait, donc je ne veux pas d'histoires. C'est comme ça !

Nouveau brouhaha feutré de protestation.

— Tu vas nous inscrire dans un groupe, s'te plaît ? ai-je demandé à Thomas. Le temps que je finisse mon bol. Sinon il n'y aura plus assez de place pour qu'on soit ensemble.

À peine avais-je terminé ma phrase qu'une longue queue s'était déjà formée devant le tableau et Thomas n'a pas perdu une minute pour s'y engouffrer.

Quelques minutes plus tard, la température de l'immense pièce commençait à peine à remonter quand il m'a rejoint à la table. Il faisait une de ces têtes !

— Qu'est-ce qu'il y a ? lui ai-je demandé immédiatement.

— Il ne restait plus trop de place... On est dans le groupe de ta mère.

— Oh non... ai-je soupiré.

— C'était ça ou Rodier, l'autre prof d'histoire.

— Ah non ! Pas Rodier, l'enfer ! Bon, t'as fait ce que t'as pu, merci quand même.

— Elle est cool, ta mère, Oliv', c'est pas la mort.

— C'est pas ça, c'est juste que je la vois déjà tous les jours, j'ai pas envie de me la coltiner en voyage scolaire. Déjà, partir avec, c'était une épreuve, mais si en plus je dois passer le reste du séjour collé à elle...

J'ai interrompu la fin de ma phrase, car Farid avait pris une chaise et s'était assis entre Thomas et moi.

— Je suis dans votre groupe, les gars, je vous ai entendu parler de cette histoire de trésor dans le car, ça m'a intrigué.

— Cool ! avons-nous répondu à l'unisson.

— Et je suis d'accord avec Thomas : elle est sympa, ta mère, Olivier, beaucoup plus sympa que tous les autres profs, c'est moi qui te le dis.

Je ne leur ai pas montré, mais au fond de moi, je souriais. Je n'avais rien contre ma mère, bien au contraire, mais le collège est une épreuve déjà difficile, alors quand on a ses parents comme profs, ça peut vite devenir très compliqué. Pour dire la vérité, j'ai toujours eu peur d'entendre des critiques ou des insultes sur elle. Je savais très bien comment on pouvait être durs avec nos enseignants : moi le premier, je n'étais pas tendre quand j'avais des soucis avec l'un d'eux. Quand, la veille, l'une des nouvelles copines d'Amanda avait critiqué ma mère au sujet de son « idée pourrie » de venir ici, à Rennes-le-

Château, ça m'avait fait mal au cœur. Ma mère ne voulait que le bien de ses élèves, comme tous les profs, j'imagine, et je l'entendais assez en parler à mon père le soir en rentrant du collège.

Les huit adultes ont quitté leur table respective et se sont positionnés en ligne vers l'entrée de la salle. Ma mère a recopié les noms inscrits sur le tableau et a commencé à faire l'appel. Elle a d'abord constitué les groupes des autres et terminé par le sien :

— Emma P., Salomé, Teo, Farid, Thomas, Olivier et Amanda, venez me rejoindre.

Amanda ? Mon cœur a fait un bond et Thomas m'a adressé un clin d'œil. J'ai entendu des protestations derrière moi, mais ma mère avait l'air pressée et pas du tout d'humeur à négocier.

Nous nous sommes levés, je me suis retourné vers la table d'Amanda et je l'ai vue s'approcher de nous en traînant les pieds. Elle me fusillait du regard.

CHAPITRE 6

— Suivez-moi, nous allons commencer la visite par la chapelle ! a dit ma mère en poussant sa voix par-dessus le bruit ambiant.

Notre petit groupe s'est mis en route derrière elle et, en sortant de la salle du restaurant, nous avons emprunté un petit chemin étroit jusqu'à la petite église. Nous étions les premières personnes à fouler le sol enneigé et nous y avons laissé nos empreintes. J'ai tordu le cou pour voir où était Amanda et elle a détourné le regard.

— Ça va, Amanda ? ai-je tout de même osé lui demander.

— À ton avis ? m'a-t-elle dit, les yeux pleins de colère.

À mon avis ? Eh bien, je pense qu'elle était bien mieux avec nous qu'avec ses copines superficielles et ses deux idiots de copains, mais ça, je n'allais certainement pas le lui dire. J'ai voulu répondre quelque chose, mais Thomas m'a asséné un léger coup de coude et m'a dit de laisser tomber.

À quelques mètres avant l'entrée de l'église, deux murs en pierre s'élevaient de part et d'autre du chemin. Sur notre droite, un immense pin semblait lutter contre le poids de la neige sur ses branches.

Soudain, une bourrasque a sifflé et nous avons tous fermé les yeux et rentré le visage dans notre col et notre écharpe pour nous protéger. Il y a eu quelques protestations parmi les élèves et j'ai pu entendre Amanda pester de nouveau.

Le vent s'était levé et ma mère s'est empressée de nous faire entrer.

— Regarde ça ! a lancé Thomas en pointant du doigt une statue sur notre gauche qui semblait sculptée au pied même de la voûte en pierre.

Elle représentait un diable rouge à l'expression effrayante dont les ailes étaient repliées derrière lui. Ses yeux semblaient nous dévisager, comme s'il ne voulait pas que l'on pénètre dans sa demeure. Le diable dans une église, voilà qui était étrange ! Mais j'apprendrais plus tard que ce n'était pas là la seule bizarrerie de ces lieux mystérieux.

Nous nous sommes enfoncés un peu plus et nous sommes regroupés au centre de la chapelle. Partout autour de nous, des statues, des peintures aux couleurs éclatantes, des sculptures aux détails infinis, des dorures et un mobilier aux ornements somptueux. On avait une impression d'opulence, de luxe presque, ce qui me paraissait également curieux dans une si petite église d'un encore plus petit village.

Sous nos pieds, le sol était constitué d'un damier noir et blanc et au-dessus de nos têtes, une voûte étoilée brillant de milliers d'astres était peinte. Avec un peu d'imagination, on aurait presque pu se croire à l'extérieur, au crépuscule.

— C'est donc ici que tout a commencé en 1881, a attaqué ma mère en brisant le silence. Bérenger Saunière est nouvellement nommé abbé du petit village de Rennes-le-Château et, vu l'état de délabrement de la petite église où il pratique son office, il décide d'entreprendre des travaux de rénovation. Il se tourne alors vers la marquise Marie-Anne Élisabeth d'Hautpoul pour lui demander un peu d'argent. C'est la dernière héritière du vieux château devant lequel nous sommes passés en arrivant, vous vous souvenez ?

Il y a eu quelques hochements de tête et ma mère a continué :

— La marquise donne à l'abbé Saunière de quoi commencer les travaux, mais cela ne pourra pas couvrir la totalité de ceux-ci. Il emploie alors une petite équipe de travailleurs et commence par l'autel que vous voyez ici.

Elle a fait quelques pas vers le fond de la chapelle et a désigné une sorte d'énorme table en marbre avec un épais plateau et un unique pied, gravé de motifs que le temps semblait avoir effacés.

— Cet autel est en fait l'objet le plus vieux de cette église. Il date de l'époque des Wisigoths et comme vous pouvez le constater, on ne distingue presque plus les décorations sur le pied et les bords du plateau. Ce qui a immédiatement interpellé Bérenger Saunière à l'époque, c'est que le pied en question était à l'envers, et quand les ouvriers soulevèrent le lourd plateau, ils découvrirent une petite cavité dans la structure qui révéla un parchemin.

L'histoire commençait à nous intriguer et par pur réflexe, nous avons tous tendu le cou vers l'autel.

— C'est à ce moment précis que les choses vont totalement changer pour Saunière et c'est là que la mystérieuse histoire de Rennes-le-Château prend sa source. Suite à cette découverte, l'abbé s'enferme toute une nuit dans sa petite chambre et le lendemain matin, il demande aux ouvriers de soulever une grosse dalle qui se situait à l'époque au centre de cette église. Et là, personne ne sait vraiment ce qu'ils ont découvert, mais ce qui est très étrange, c'est que Saunière a fait renvoyer tous les travailleurs, qu'il s'est enfermé dans l'église pendant deux semaines et qu'aux dires des habitants du village, il ne sortait que la nuit, muni d'une lanterne, pour fouiller les alentours. Quelques jours après la découverte, il a d'ailleurs fait interdire l'accès au cimetière et remanié l'ensemble de la disposition des tombes, ce qui lui a valu de féroces protestations de la part des habitants.

Le cimetière, une lanterne... À l'évocation de ces mots, Thomas et moi nous nous sommes dévisagés de longues secondes. Nos mines étaient inquiètes.

— Passées ces deux semaines, a repris ma mère, l'abbé Saunière rouvre l'église, il emploie de nouveaux ouvriers et c'est là que les rénovations et le décor que nous voyons aujourd'hui tout autour de nous ont pris naissance. Il commande des statues auprès des plus célèbres sculpteurs de l'époque, il fait faire des tapisseries, des meubles, le vieux sol en pierre est remplacé par un damier noir et blanc, toute la voûte est repeinte et il entreprend même la construction d'autres édifices qui feront partie de la suite de notre visite. Là aussi se cachent énormément de mystères, aujourd'hui encore non résolus.

À quelques mètres devant nous, Farid a levé le bras en l'air et ma mère lui a donné la parole :

— Et cette histoire de trésor dans tout ça ?

— Pour faire simple, Rennes-le-Château était un petit village assez pauvre en cette fin de XXe siècle et ce n'est pas le jeune abbé Bérenger Saunière qui l'a enrichi avec son maigre compte en banque quand il a été nommé dans cette paroisse. Mais à la suite de la découverte du parchemin et des premiers travaux effectués dans la chapelle, il semble que les richesses ont afflué ici du jour au lendemain. Saunière a dépensé des fortunes pour décorer cette petite chapelle et il a même racheté tous les terrains autour pour finalement se retrouver propriétaire de presque tout le village. C'est tout de même étrange pour un simple curé de campagne, vous ne trouvez pas ? D'où lui est venue cette soudaine fortune ?

CHAPITRE 7

Un silence inquiétant régna tout à coup dans la petite chapelle. Dehors, le vent sifflait entre les tuiles et faisait vibrer les vitraux. Ma mère nous a laissés nous promener à notre guise pour aller voir le décor de plus près. Je m'étais demandé comment elle connaissait l'étrange histoire de ce curé et surtout pourquoi elle ne me l'avait jamais racontée, mais quand elle a sorti une brochure de la poche de sa veste et qu'elle s'est mise à la lire comme si elle révisait une leçon, j'ai compris. J'avais aperçu le propriétaire en distribuer des comme celle-ci à tous les adultes, qui pouvaient alors assurer la visite du domaine en jouant les guides érudits.

J'ai suivi Farid et Thomas, qui s'approchaient de l'autel en marbre, et j'ai jeté quelques coups d'œil furtifs autour de moi pour voir ce que faisait Amanda. Elle avait l'air de s'être éloignée le plus possible de nous. Je me demandais ce que je pouvais bien lui avoir fait pour mériter qu'elle me boude comme ça.

J'ai laissé mes deux copains scruter les sculptures sur le pied de l'autel et me suis approché d'Amanda. Elle faisait semblant de s'intéresser aux peintures et aux tapisseries sur les murs, mais je la connaissais tout de même un peu et je sentais qu'elle n'attendait qu'une seule chose : retrouver son groupe d'amis à la pause déjeuner.

— Encore une histoire de trésor, hein ? ai-je tenté à son attention. On dirait bien qu'on y est abonnés.

Elle a fixé le vide devant elle et pendant une fraction de seconde, j'ai cru qu'elle allait me répondre, mais elle a tourné les talons et s'est éloignée de moi. Mon estomac s'est serré de nouveau. Pourquoi avait-elle l'air de m'en vouloir ?

Déçu et un peu triste, je suis retourné auprès de Thomas et Farid qui avaient jeté leur dévolu sur la statue de diable à l'entrée.

— J'ai l'impression qu'Amanda me fait la tête, ai-je déclaré à Thomas.

— T'en fais pas, m'a-t-il répondu avec un rictus, c'est pas contre toi qu'elle en a, je pense que c'est plutôt contre moi.

J'ai froncé les sourcils.

— Pourquoi ?

— C'est à cause de moi qu'elle est ici, avec nous. J'ai effacé son nom et l'ai inscrit dans notre groupe.

Farid a pouffé de rire et couvert sa bouche avec sa main. Quant à moi, j'ai d'abord été étonné puis je n'ai pas pu cacher le fait que je trouvais ça cool qu'il ait fait ça pour moi. Je comprenais désormais pourquoi Amanda était en rogne, mais ce n'était pas si grave, elle s'en remettrait. Je ne sais pas pourquoi, mais ça a débloqué quelque chose en moi et je me suis tout de suite senti plus à l'aise avec l'idée d'aller lui parler. J'étais soulagé de ne pas avoir fait quelque chose de mal.

La voix de Thomas a interrompu le flot de mes pensées :

— Vous avez vu ? nous a-t-il dit à Farid et moi. Au-dessus du diable, il y a une inscription et deux lettres... B et S...

— Benjamin Saunière ! s'est écrié Farid.

— Bérenger ! a immédiatement rectifié monsieur Plantard qui venait à l'instant de faire irruption dans l'église.

Surpris par le son de sa grosse voix, nous avons tous les trois sursauté.

— Et l'inscription juste au-dessus, c'est du latin : *In hoc signo vinces*, nous a-t-il précisé.

— Ça veut dire quoi ? ai-je demandé, intrigué.

— « Par ce signe, tu vaincras ».

Tout le monde a marqué une pause, puis Thomas a brisé le silence :

— Quel signe ?

Le propriétaire a éclaté de rire et s'est mis à tapoter son ventre bedonnant du plat de la main :

— Ah, ah ! Ça, mon petit, personne ne l'a jamais découvert !

Puis il est parti aussi vite qu'il était arrivé, s'enfonçant dans la nef de l'église en direction de ma mère. Nous l'avons suivi du regard, nos têtes pivotant au même rythme. À chaque pas qu'il faisait, le gros trousseau de clefs qu'il tenait à la main faisait résonner des cliquetis métalliques dans toute la chapelle, qui agissait alors comme une chambre d'écho.

— J'avais oublié de vous ouvrir le bras du transept, a-t-il dit à ma mère en souriant avant de se diriger sur la gauche vers une porte en bois dissimulée dans la cloison.

— Revenez tous par ici ! nous a-t-elle soudain lancé à travers la nef. Monsieur Plantard nous a ouvert une petite pièce où vous pourrez admirer le parchemin qui a été retrouvé par l'abbé Saunière.

Curieux, nous avons tous pressé le pas dans la même direction pour découvrir l'objet qui avait été à l'origine de toute cette légende.

L'endroit était si exigu qu'on ne pouvait y pénétrer qu'à trois personnes maximum, aussi Thomas, Farid et moi avons-nous attendu notre tour sagement. À l'autre extrémité de la queue, Amanda rêvassait, le nez en l'air, totalement désintéressée par tout ce qui se passait autour d'elle. Elle avait pris place dans la file d'attente, uniquement parce que la petite pièce possédait une porte par laquelle nous devions sortir pour continuer notre visite.

Lorsque notre tour est arrivé, nous nous sommes approchés lentement du mur sur lequel un cadre en verre renfermait le mystérieux parchemin. Sur du vélin jauni par les siècles, un texte de quelques lignes était écrit dans une langue qui ressemblait fortement à du latin.

Mes yeux parcouraient les lettres et les phrases à toute vitesse et quelque chose, une sorte de schéma, commença à se distinguer dans mon esprit. J'avais la sensation que certaines lettres étaient légèrement différentes des autres, de manière à former d'autres mots, comme une sorte de code caché à l'intérieur même du texte. Mais c'était juste une intuition.

Quand nous sommes sortis et nous sommes retrouvés derrière l'église, sur une petite place qui longeait le cimetière, j'ai scruté longuement les visages de mes deux copains pour tenter de déchiffrer leurs émotions. Au bout de trop longues secondes, Thomas a froncé les sourcils et m'a dit :

— Qu'est-ce que t'as ? Ça va pas ?

— Vous avez rien remarqué sur le parchemin ?

Farid a froncé les sourcils à son tour.

— Remarqué quoi ?

— Je sais pas, y'avait des lettres pas comme les autres, on aurait dit que ça formait d'autres mots...

Il y eut un long silence puis Thomas a explosé de rire, ce qui a attiré l'attention d'Amanda.

— Ah, ah, ah, ah ! Tu me fais marcher, c'est ça ? m'a-t-il lancé en m'adressant une tape amicale sur l'épaule.

Farid l'a imité. Ce n'étaient pas des rires moqueurs, je le sentais bien, mais j'étais un peu vexé.

— Bah quoi ?

— Si t'as déchiffré un truc pour savoir où se trouve ce fameux trésor, dis-le tout de suite, qu'on ne perde pas de temps ! a enchaîné Thomas après s'être un peu calmé.

Soudain, la voix de ma mère est passée au-dessus du brouhaha et nous avons dû la suivre pour continuer la visite du domaine. Nous avons enfoncé nos mains dans nos poches et enfoui notre visage dans le col de notre gros blouson puis nous avons commencé à marcher. La neige fraîche craquait sous les semelles de nos chaussures et moi, j'étais perdu dans mes pensées.

Farid et Thomas avaient beau trouver ça ridicule ou invraisemblable, j'en étais quasiment persuadé : un message codé se cachait dans ce texte en latin d'apparence anodine.

CHAPITRE 8

Nous avons déambulé dans le village, repassant devant le château de la famille des Hautpoul puis nous sommes revenus sur nos pas pour nous retrouver tout au bout du domaine, devant une tour en pierre carrée qui semblait dominer la vallée.

Nous étions repassés à proximité du cimetière et Thomas et moi nous étions adressés des regards inquiets et, en même temps, pleins de curiosité. Il n'avait pas besoin de l'exprimer avec des mots, je savais que mon ami pensait à la même chose que moi, à l'immense forme humaine équipée d'une lanterne, qui était sortie de ce même cimetière avec une pelle. Que pouvait-on bien faire en pleine nuit dans un pareil endroit ?

Pendant qu'on attendait au pied de la tour que ma mère trouve la bonne clef pour ouvrir la porte, Thomas s'est retourné à plusieurs reprises, comme s'il cherchait quelqu'un. Quand il trouva enfin Amanda, seule et à l'écart du groupe, il s'est déplacé vers elle.

— Allez, Amanda, fais pas la tête ! lui a-t-il dit, les yeux pleins de malice. On est voisins, on s'est toujours bien entendu, y'a pas de raison pour que tu boudes !

Pour seule réponse, elle a soufflé et roulé des yeux. J'étais vraiment en admiration devant mon copain, car il avait l'air de pouvoir faire tout ce qu'il voulait, il semblait n'avoir jamais peur de rien, n'avoir aucune appréhension. Avant de pouvoir adresser mon premier mot à Amanda, il m'avait fallu des années, et encore, c'étaient les circonstances[1] qui m'avaient vraiment donné un coup de pouce. Mais lui, il était vraiment à l'aise dans n'importe quelle situation. Il ne s'était jamais soucié du regard des autres et au fond, je savais qu'il avait entièrement raison, mais je pense que pour certains, pour moi par exemple, ce n'est pas aussi facile. On ne peut pas claquer des doigts et décider de faire ce qui nous rend heureux sans craindre les moqueries et le jugement des autres.

— C'est quoi, ton problème, Amanda ? Allez, dis-moi, crache le morceau !

Elle a croisé les bras, regardé en l'air puis s'est finalement résignée à répondre :

— Je devais pas être dans ce groupe ! Maintenant, je vais passer les trois derniers jours sans mes potes.

Thomas a haussé les épaules et s'est éloigné d'elle de quelques mètres. Il s'est baissé, a formé une boule compacte avec de la neige et s'est retourné dans sa direction.

— Tiens, t'auras une raison de faire la tronche, au moins ! a-t-il crié en lançant la boule de neige sur Amanda.

Celle-ci a percuté le dessus de sa chevelure blonde et a éclaté en des milliers de flocons. Amanda a poussé un cri aigu, parfait mélange entre la surprise et la colère. Elle s'est immédiatement accroupie, a formé un projectile glacé à la vitesse de l'éclair et a visé Thomas. En plein dans le mille !

Le visage ruisselant de neige, les yeux mi-clos, Thomas a explosé de rire et cherché à tâtons sur le sol de quoi riposter. C'est alors qu'un élan de folie m'a pris. À mon tour, j'ai confectionné une boule de neige bien dure et l'ai lancée sur Thomas, qui l'a reçue dans le cou.

Il a hurlé – probablement à cause de la neige qui avait dû s'engouffrer sous son blouson – et il a simulé un soldat touché pendant une bataille et s'est écroulé sur le sol. Le regard d'Amanda s'est illuminé et elle a souri à pleines dents. Elle a tourné le visage vers moi et m'a applaudi en rigolant.

— Bien visé ! m'a-t-elle lancé.

— C'est pas du jeu, vous êtes deux contre moi ! a crié Thomas en se relevant.

Il s'est ébroué et a accouru devant Amanda.

Ensuite, il s'est jeté à genoux, glissant sur quelques centimètres.

— Pardonnez-moi, ma reine, c'est de ma faute si vous êtes dans notre groupe, a-t-il dit de façon théâtrale, et avec le décor médiéval qui nous entourait, je dois dire que ça avait de l'allure.

— J'en étais sûre ! a-t-elle enchaîné.

Son expression s'était quelque peu refermée, mais je sentais qu'elle était beaucoup moins en colère qu'avant la bataille de neige.

— Allez, allez ! On arrête de chahuter ! a soudain crié ma mère, mettant fin, comme d'habitude, à nos moments d'amusement. On continue la visite, on fera une pause plus tard et vous pourrez vous jeter toute la neige que vous voudrez.

Amanda s'est mise en mouvement et Thomas lui a fait un geste du bras d'un air de dire « par ici, madame », toujours de manière grandiloquente et pompeuse. Elle s'est approchée de Farid et moi et, tout au fond de son regard, j'ai cru percevoir une petite lueur de complicité. Si elle avait cru que j'étais à l'origine du subterfuge pour qu'elle se retrouve dans notre groupe, elle semblait avoir compris que je n'y étais pour rien et ne plus m'en vouloir.

Elle est passée devant moi, s'est mêlée à la file d'élèves qui entrait lentement dans la tour et Thomas nous a rejoints. Il m'a adressé une tape virile sur l'épaule. J'ai compris dans ce geste qu'il me signifiait qu'il tentait comme il pouvait de réparer les pots cassés.

. . .

La tour, nous a expliqué ma mère, était l'un des symboles les plus célèbres de Rennes-le-Château. Elle était dotée d'une base carrée et s'érigeait au-dessus de la vallée des Bals des Couleurs. Elle avait pour nom la tour Magdala et formait un des quatre angles du carré que représentait tout le domaine de l'abbé Saunière. Elle aussi, elle renfermait de nombreux mystères, dont la plupart n'avaient jamais trouvé d'explication convaincante. Parmi ceux-ci, tout d'abord, son nom. La tour était censée avoir été construite en l'honneur de Marie-Madeleine, épouse de Jésus-Christ, mais elle aurait donc dû être appelée la tour Magdalena. C'était ce malicieux abbé Saunière, qui aimait de toute évidence s'amuser avec les mots, qui avait choisi « Magdala », terme qui signifie tout simplement *tour* en hébreu.

Mais les énigmes de cette construction ne s'arrêtaient pas là. La tour possédait en son sommet des créneaux comme ceux d'un château fort et ils étaient au nombre de soixante-quatre. Un nombre qu'on retrouvait étrangement un peu partout dans le domaine.

Un nuage gris est passé au-dessus de nos têtes et des bourrasques de neige nous ont fait accélérer le pas à l'intérieur. Dedans, une immense bibliothèque en bois courait le long des quatre murs de la tour. À l'époque, elle renfermait d'innombrables ouvrages anciens et rares. Sur notre droite, une cheminée en pierre servait à chauffer la pièce lors des hivers rudes, exactement comme celui que nous vivions.

J'imaginais Bérenger Saunière, il y avait plus d'un siècle, enfermé dans cette tour alors que le vent glacial à l'extérieur soufflait depuis la vallée, étudiant de vieux manuscrits à la lueur des flammes dans la cheminée. Il avait fait construire cette tour et cette grande bibliothèque sur mesure à l'aide d'argent dont la source était inconnue et même curieuse. Lui qui aimait tant les énigmes, se pouvait-il qu'il ait caché des indices au sein même de cette pièce ? Ce carrelage, par exemple, j'avais remarqué qu'il était composé de huit carreaux en longueur et huit carreaux en largeur. Huit fois huit. Soixante-quatre. Le nombre mystérieux.

CHAPITRE 9

Une échauguette.

Ma mère venait de prononcer ce mot et tout le monde avait froncé les sourcils. Une échau quoi ? Elle nous avait appris un terme médiéval et comme disait mon père, j'allais me coucher moins bête que je ne m'étais levé.

Une échauguette était l'espèce de petite pièce ronde qu'on trouvait en hauteur au coin des tours. Elle permettait au guetteur d'avoir un angle de vue adéquat en cas d'attaque. Celle de la tour Magdala était si petite qu'elle ne pouvait accueillir que deux personnes à la fois et c'est sans surprise que Thomas et moi nous y sommes engouffrés avec le sourire.

Nous avons monté deux par deux les marches de l'escalier en colimaçon qui nous a menés jusqu'au sommet. À l'extérieur, la température nous glaça les joues, mais la vue était si majestueuse que nous ne sentions même plus les flocons qui s'abattaient sur nos visages comme de petits couteaux.

Thomas a fait un pas en avant, s'est collé contre la rambarde de pierre et a écarté les bras en criant :

— *I am the king of the world*[1] !

Et nous avons entendu des rires en bas, dans la tour carrée. Parmi eux, j'ai reconnu la voix d'Amanda et j'ai eu un petit pincement au cœur.

Après que tout le monde a eu l'occasion de grimper au sommet de l'échauguette, nous nous sommes mis en route vers le restaurant. L'heure tournait et s'approchait déjà de midi, ce qu'avait confirmé mon estomac à plusieurs reprises. Sur le chemin, Amanda s'est montrée plus sympa. Ce n'était pas l'Amanda des grands jours, celle avec laquelle je partageais une complicité qui se voyait comme le nez au milieu de la figure, mais c'était un début. On a parlé brièvement du potentiel trésor qu'aurait pu trouver l'abbé Saunière, mais notre conversation a été interrompue par un cri émis par une voix que j'aurais reconnue entre mille et qui m'a fait grincer des dents : celle de Robin.

Nous avons croisé l'autre groupe, celui dans lequel était censée se trouver Amanda au départ, et ce grand dadais nous a hurlé dessus en faisant de grands gestes :

— Alors, les *geeks*, vous n'vous êtes pas encore envolés avec tout ce vent ?

Son comparse Kevin a affiché une sorte de grimace ridicule, accompagnée de petits gémissements, qui m'a semblé être un rire. Les deux copines d'Amanda ont piaillé derrière lui et Amanda a paru se forcer à rire à son tour.

Je la savais beaucoup trop intelligente pour apprécier ce genre de blague, mais je lui ai pardonné son comportement. Il est si difficile de se faire respecter et aimer par un groupe d'élèves populaires que parfois il faut faire semblant, jouer le jeu, quitte à rigoler à des choses qui ne sont pas drôles.

Alors que nous nous croisions sur le seul chemin qui nous conduisait dans des directions opposées, j'ai vu Thomas préparer une boule de neige. Je lui ai adressé un signe réprobateur de la tête et j'ai barré toute tentative de sa part de mon bras. Il a jeté un œil à Amanda, qui échangeait des signes avec ses copines, et a laissé tomber la boule sur le sol enneigé.

Quand nous sommes arrivés dans la grande salle de restaurant, un feu crépitait déjà dans la grande cheminée et Thomas, Farid et moi nous sommes précipités vers le brasier accueillant. La pièce était cette fois-ci à température agréable, mais nous n'avons pas pu résister à l'envie de réchauffer nos mains meurtries par le froid.

Les différentes pièces de pierre taillée qui entouraient l'âtre comportaient des sortes de petits bas-reliefs qui semblaient raconter une histoire.

— C'est splendide, n'est-ce pas ? a dit Plantard de sa voix grave.

Mon cœur avait bondi : ce type avait vraiment l'art d'apparaître de nulle part, sans se faire remarquer, tel un fantôme. Pourtant, sa corpulence et son allure de gros animal trapu ne pouvaient pas vraiment passer inaperçues.

— Ces sculptures racontent la construction du temple du roi Salomon à Jérusalem. L'artiste n'a pas signé et reste aujourd'hui inconnu, mais ce qui est certain, c'est que d'après les archives de l'abbé Saunière, il a payé cette pièce une petite fortune.

Alors qu'un autre groupe d'élèves nous rejoignait dans la chaleur de la salle du restaurant, monsieur Plantard disparut dans les cuisines comme il était venu, sans même nous signifier son départ.

L'histoire racontée par le bas-relief sur le manteau de la cheminée était composée de nombreuses petites vignettes finement sculptées. Thomas et Farid avaient déjà posé leur veste sur le dossier des chaises non loin derrière nous ; quant à moi, je restais fasciné par ce que j'avais devant moi. Je me suis mis à compter les vignettes, il y en avait exactement soixante-quatre.

Je me suis retourné pour ôter ma veste à mon tour, avec la ferme intention d'aller trouver Amanda pour lui rapporter toutes mes trouvailles. Après tout, nous avions tous les deux été au cœur d'une histoire de trésor il n'y avait pas si longtemps de ça et j'étais persuadé qu'au fond d'elle, elle aurait été intriguée par ce que j'avais à lui révéler : le possible message codé du parchemin, le nombre soixante-quatre qui revenait partout, jusqu'au nombre même de carreaux de carrelage dans la tour Magdala et bien sûr, la silhouette étrange du géant à la lanterne que nous avions aperçue sortant du cimetière.

Mais quand j'ai fait le premier pas dans sa direction, son groupe de copines a fait irruption dans la pièce et elle a accouru vers elles, les bras écartés comme si elle ne les avait pas vues depuis des années. Sur le moment, j'ai compris que j'avais perdu mon Amanda, en tout cas temporairement, et une boule s'est formée dans ma gorge.

CHAPITRE 10

La tempête de neige s'était fortement accentuée et la visite avait été mise en pause. L'ensemble des deux classes avait été réuni dans la salle du restaurant dès le début de l'après-midi et nous avions eu droit à un cours d'histoire sur la région et les cathares. Mais la mystérieuse histoire de la fortune soudaine de l'abbé Saunière semblait être dans tous les esprits, car plusieurs élèves avaient posé des questions à ce sujet. Ma mère prit alors le relais – c'était de toute évidence elle qui paraissait maîtriser le mieux le sujet – et, à la demande générale, elle a continué de raconter le passé de Rennes-le-Château.

Après les travaux dans la petite église, Bérenger Saunière était donc passé d'abbé sans le sou qui cherche des financements pour rénover la chapelle à véritable entrepreneur immobilier. En l'espace de quelques mois, il avait racheté pratiquement tous les terrains du village et avait entrepris de grands travaux de construction de tout un tas de bâtiments. La grande maison où nous séjournions avait servi de couvent à l'époque pour accueillir des séminaires et aux dires de tous, elle était décorée avec beaucoup trop de luxe pour un homme d'Église. Il avait fait également construire sa propre maison, la villa Béthanie, dans laquelle il avait entreposé des tableaux de maître, des sculptures somptueuses et coûteuses, ainsi que des tapisseries provenant des ateliers les plus en vue de l'époque. Il avait donc remanié le cimetière et réorganisé les tombes selon son bon vouloir, ce qui lui avait valu énormément de critiques. Un curé qui déplace les morts, personne n'avait jamais vu ça !

Enfin, il avait fait bâtir cette fameuse tour Magdala – celle que nous venions de visiter – ainsi que sa sœur jumelle, toute en verre, comme si elle était son négatif, à l'autre extrémité du domaine. Celui-ci, vu du ciel, formait alors un immense carré bien ordonné dont personne ne connaissait la véritable signification et s'il y en avait vraiment une.

La légende du fameux trésor avait été gardée secrète jusque dans les années cinquante, quand deux journalistes, fascinés par ce qu'ils venaient d'apprendre des gens du coin, avaient décidé d'en faire les gros titres. L'histoire du *Curé aux milliards* était alors parue dans un grand quotidien national et la fièvre nommée Rennes-le-Château avait commencé dès cet instant.

À partir de la parution des articles, des archéologues, des scientifiques, des historiens, des chercheurs de trésor et beaucoup de farfelus avaient fait le déplacement jusque dans ce petit village d'Occitanie avec la ferme intention de retrouver le trésor ou en tout cas de prouver au monde son existence. On avait fouillé, creusé, partout, au beau milieu du village, dans les bois alentour, on avait déplacé des pierres lourdes, des dalles, on avait cassé, percé jusqu'à même dynamiter certain sites avant que la mairie ne prenne des dispositions.

À l'été 1965, le 28 juillet très exactement, un arrêté préfectoral avait interdit les fouilles dans Rennes-le-Château et toutes les communes alentour. Le village avait alors retrouvé un peu de sa tranquillité, mais ça n'avait pas calmé les ardeurs des chercheurs, car cette folle légende avait continué à hanter tous les esprits imaginatifs pendant près d'un demi-siècle jusqu'à nos jours.

Finalement, nous n'avions pas quitté le restaurant de la journée. Nous étions même restés là, à regarder monsieur Plantard et ses deux cuisiniers installer les tables pour le dîner.

Après le repas, nous avions eu quartier libre jusqu'à l'extinction des feux, comme la veille. Tous les élèves s'étaient précipités dans la grande maison, bravant les intempéries et la température polaire à l'extérieur.

Le salon au rez-de-chaussée baignait dans une atmosphère chaleureuse, les flammes rougeoyantes du feu dans la cheminée et les lumières tamisées rendaient l'endroit accueillant et agréable. C'est là que tous les adultes s'étaient réunis. Ils buvaient du thé, assis dans les vieux canapés dispersés dans la pièce. Il y avait une sorte de coin jeux avec une grande table en chêne massif et une caisse remplie de jeux de société, de jeux de cartes et de toutes sortes de casse-têtes et de dominos. Certains élèves s'y étaient regroupés pour faire une partie de Monopoly ou d'un antique jeu de l'oie, d'autres, un peu plus lèche-bottes, discutaient avec les profs de leur matière préférée. Quelques groupes d'élèves, dont celui inséparable d'Amanda, s'étaient répartis dans les chambres aux différents étages pour y faire on ne savait quoi.

Thomas et moi avions choisi l'entre-deux : la revanche de notre compétition d'échecs de la veille. Avant que je monte les escaliers, ma mère m'a jeté un regard et je lui ai fait un signe de la main, m'assurant que personne ne me voyait.

Lorsque nous sommes arrivés dans la chambre, j'ai tout de suite compris de quoi nous avions été victimes. La pièce était sens dessus dessous, nos deux matelas avaient été déplacés et compressés dans la minuscule salle de bains, tous nos draps avaient été noués puis mis en boule au milieu de la pièce, et le contenu de nos valises avait été parsemé à travers tout l'espace. Ce n'est qu'au bout d'une bonne demi-heure de rangement que nous nous sommes aperçus que notre jeu d'échecs avait été subtilisé. Seule subsistait une unique pièce noire : le fou.

Le visage rouge de rage, Thomas a serré les poings et les mâchoires et s'est précipité vers la porte.

— Tu vas où ? lui ai-je demandé, inquiet.

— Je vais leur donner une bonne leçon !

— Mais à qui ?

Thomas s'est tourné vers moi :

— Fais pas comme si t'avais pas une petite idée. Tu sais très bien qui a fait ça ! Robin, le grand débile et son pote, là...

— Kevin ?

— Ouais, voilà, Kevin ! Ils sont deux, on est deux, viens avec moi, on va régler ça !

Je me suis approché de lui et je pense qu'il a dû déceler quelque chose dans mon regard, car j'ai eu l'impression qu'il se calmait d'un seul coup.

— S'te plaît, n'y va pas. Y'a ma mère et tout... Même si on leur met une raclée, je vais le payer cher après.

Il a soufflé et a desserré les dents.

— Bon, OK, mais je te préviens, je garde ma vengeance pour plus tard.

— Allez, viens, on descend chercher un truc à faire, ai-je dit en souriant.

— Jeter les affaires de Kevin et Robin dans la cheminée ?

— Ah, ah ! Non, même si j'en rêve. Il doit bien y avoir un autre jeu d'échecs qui traîne dans le salon, je te rappelle qu'on a un match retour à faire.

Nous avons dévalé les marches deux à deux et quand nous avons débarqué au rez-de-chaussée, j'ai vu ma mère froncer les sourcils. Elle devait se demander pourquoi on était de retour aussi vite.

J'ai fouillé dans une grosse malle en bois à la recherche d'un échiquier, mais je n'ai rien trouvé. Je me suis alors rabattu sur un jeu de cartes qui avait l'air d'avoir vécu plusieurs guerres. Thomas s'était installé devant une table basse, assis à même le sol sur un épais tapis. Je l'ai rejoint et lui ai jeté le paquet :

— Vas-y, mélange, on peut se faire un poker, j'ai vu un coffret de jetons dans une autre caisse près de la cheminée.

J'ai récupéré les jetons multicolores et suis retourné auprès de mon ami.

— Il manque le huit de carreaux et l'as de pique, me lança-t-il d'un air agacé, comme si c'était de ma faute.

J'allais lui proposer de chercher ensemble un autre jeu de société quand j'ai vu la chevelure blonde d'Amanda qui ondulait au loin, alors qu'elle descendait les marches et regagnait le salon. Elle a fait un tour d'horizon de la grande pièce et a paru presque soulagée de croiser nos regards. Elle s'est approchée de nous et s'est littéralement laissée tomber dans un fauteuil moelleux entre Thomas et moi. Elle a croisé les bras et soupiré avec autant d'irritation dans son attitude que Thomas quelques secondes auparavant.

— Qu'est-ce qui va pas ? lui demanda-t-il sur un ton bienveillant.

Il avait vraiment un don pour démarrer des conversations avec les filles, sans paraître mal à l'aise ou bloqué. Tout l'inverse de moi.

— Les filles se sont enfermées dans une chambre avec Robin et Kevin.

— Oh, oh ! a fait Thomas en souriant, une lueur malicieuse dans le regard.

— Arrête ça ! a rétorqué Amanda en lui assénant une tape sur l'épaule avant de croiser les bras de nouveau.

— Oublie-les, a-t-il enchaîné, tu tombes à pic au moment où Oli allait justement m'expliquer comment il avait réussi à déchiffrer un code pour retrouver le trésor de l'abbé Saunière.

Hein ? Qu'est-ce qu'il racontait ? Mes joues ont commencé à rougir, mais Amanda a tourné son visage vers moi et a écarquillé les yeux avec un grand sourire. Elle paraissait soudain très excitée par ce que j'allais bien pouvoir leur dire, elle était pendue à mes lèvres. J'avais retrouvé mon Amanda, mon enquêtrice ninja[1] !

CHAPITRE 11

— Alors ? m'a demandé Amanda, impatiente.

J'ai pris une grande inspiration et j'ai eu l'impression de me jeter dans le vide :

— Je pense avoir déchiffré le parchemin qui est exposé dans l'église.

— Quoi ? a-t-elle lancé un peu trop fort, si bien que plusieurs têtes se sont retournées vers nous.

Thomas arborait un sourire que je lui connaissais bien, le sourire de celui qui n'y croit pas.

— Je crois bien... Quand j'ai vu ce qui était écrit, je sais pas, j'ai eu l'impression que des lettres se détachaient des autres pour former un mot. Je l'ai dit à Thomas, mais il ne m'a pas cru.

Une ombre est passée sur le visage de mon copain et il a changé radicalement d'expression :

— Comment ça, je t'ai pas cru ?

— Farid et toi, vous vous êtes marrés quand je vous ai dit ça.

— Mais pas...

— On s'en fiche, de ça ! coupa Amanda, qui avait tout à coup l'air le plus sérieux du monde. Moi, je te crois, Olivier, alors raconte.

Je n'ai pas pu m'empêcher de sourire et je crois bien que mes satanées joues ont de nouveau rougi, il fallait vraiment que j'apprenne à contrôler mes émotions !

J'ai repris calmement et ils ont tous deux approché leur visage du mien :

— Vous vous rappelez que l'abbé Saunière, quand il a voulu faire des travaux et rénover l'église, a trouvé un parchemin caché dans le pied de l'autel ?

J'ai marqué une courte pause et ils ont hoché la tête.

— Eh bien, quand nous sommes passés devant le parchemin avant de sortir de la chapelle, il m'a semblé que des lettres se détachaient du texte. Comme un message codé, caché dans les phrases écrites en latin.

— Il disait quoi, ce message ? m'a demandé Amanda.

— Je ne sais pas, ai-je dit en secouant la tête. C'était juste une impression, on est passé trop vite à autre chose, j'ai pas eu le temps de m'attarder sur le parchemin. Mais j'en suis persuadé, le texte est écrit de telle sorte qu'il renferme un code, c'est trop évident.

— Trop évident, trop évident, t'es le seul à avoir vu ça, en attendant ! est intervenu Thomas.

— Oui, mais dans cette petite tête, je peux te dire que ça carbure ! a dit Amanda en tapotant mon crâne de son index.

À chaque fois que son doigt s'enfonçait dans mes cheveux, un long frisson me parcourait le dos, comme si Amanda était électrique. Je n'aurais pas été contre le fait qu'elle continue toute la soirée, mais Thomas est intervenu de nouveau :

— Essaie d'être plus précis, Oli. Comment t'as pu déchiffrer quoi que ce soit juste en regardant ce parchemin quelques secondes ?

— J'en sais rien, c'était comme si des lettres du texte me sautaient aux yeux. Elles étaient si différentes des autres que ça pouvait pas être un hasard. Et j'ai vraiment eu la sensation qu'elles commençaient à former un mot.

— Tu te souviens de ce mot ? a enchaîné Thomas, soudain très intéressé.

— Comme je vous l'ai dit, c'était comme une impression, une intuition même, un truc flou. C'est comme quand j'arrive à prévoir plusieurs coups à l'avance aux échecs, je ne sais pas comment ça se fait, mais c'est là, dans ma tête.

— Tu vas pas nous dire que t'as des dons paranormaux ou quelque chose dans le genre ? a lancé Thomas en fronçant les sourcils.

— J'ai pas dit ça. J'ai juste dit que j'avais

remarqué que des lettres du texte n'étaient pas écrites pareil que les autres et que...

Soudain, un des profs a frappé dans ses mains et tous les regards se sont dirigés vers les adultes qui se tenaient tous désormais debout :

— Allez, allez ! Il est l'heure de tous regagner vos chambres, nous allons passer dans cinq minutes pour l'appel avant l'extinction des feux !

— Oh non, a lâché Amanda à mi-voix. Je veux savoir, maintenant !

Nous nous sommes levés et nous sommes dirigés à pas lents vers le grand escalier. Pendant que nous montions les marches, Thomas a soudain paru avoir une idée :

— Si tu avais ce parchemin devant les yeux, tu pourrais le déchiffrer ? m'a-t-il demandé en chuchotant.

— Je pense que oui. En tout cas, je pourrais au moins vous expliquer concrètement ce que je veux dire.

Nous sommes arrivés à notre étage et Amanda s'est adressée à nous, son regard embrasé d'une lueur malicieuse :

— Il n'y a qu'une seule façon de savoir la vérité : trouver un moyen d'obtenir ce parchemin.

— Quoi, là, maintenant ? ai-je demandé en haussant les épaules.

Elle s'est tournée vers Thomas :

— Je sais pas. Thomas, tu arriveras à dormir si tu

sais qu'il y a peut-être un code caché dans ce parchemin ?

Thomas a secoué la tête pour dire non, il avait l'air aussi excité qu'elle et ce sentiment était contagieux.

Soudain, ma mère est apparue et s'est arrêtée à notre niveau :

— Allez, Amanda, ta chambre est au deuxième à ce que je sache.

— Attends, maman, ai-je rétorqué, j'ai un truc à lui donner.

— D'accord, mais après, tu montes directement dans ta chambre, c'est compris ? On passe faire l'appel dans la foulée.

Ma mère s'est éloignée et je me suis précipité dans notre chambre. Thomas et Amanda m'ont suivi, ils avaient tous deux l'air intrigués. J'ai fouillé dans mon sac à dos et j'ai extirpé deux objets noirs, dont un que j'ai tendu à Amanda. Un immense sourire a illuminé son visage :

— Les fameux talkies-walkies ! Ça me rappelle des souvenirs !

J'aurais voulu rester quelques minutes de plus à observer son visage radieux dont l'expression me rendait si heureux, mais le temps nous était compté.

— Laisse-le allumé et on te préviendra si on a du nouveau, ai-je dit avec détermination.

Le sourire d'Amanda s'est élargi encore plus et Thomas a écarquillé les yeux de stupéfaction.

— T'es sérieux ? Tu vas aller déchiffrer le parchemin, là, cette nuit ? a-t-elle demandé.

On pouvait sentir son excitation dans sa voix. Je ne voulais pas la décevoir, alors j'ai répondu :

— C'est exactement ce que je vais faire.

CHAPITRE 12

— OK, c'est quoi, ton plan ? a chuchoté Thomas.

Nous ne nous étions pas mis en pyjama et nous nous étions glissés sous nos couvertures tout habillés en attendant qu'un des profs passe pour faire l'appel. Après cette formalité, nous étions restés dans l'obscurité à nous parler en murmurant comme si nous étions en train de planifier un complot.

— Il faut qu'on trouve un moyen pour que je puisse étudier le texte du parchemin, ai-je dit.

— On va quand même pas aller le décrocher et le rapporter ici ?

J'ai marqué une pause et j'ai enchaîné :

— Pourtant, on pourrait. Je sais qui a les clefs de la chapelle.

J'ai entendu des bruits de froissements de draps, Thomas s'était assis dans son lit et s'était penché vers moi.

— Qui ?

— Ma mère. J'ai vu Plantard lui remettre un double de son trousseau après notre visite de l'église.

Thomas est resté silencieux pendant quelques secondes. Il m'a semblé qu'il réfléchissait, puis il a repris la parole :

— C'est trop risqué. Si ça se trouve, il y a une alarme connectée au cadre du parchemin, et là, on sera dans la m...

— Une photo suffirait, ai-je dit, parlant presque à volume normal.

— Mais oui ! s'est écrié Thomas avant de plaquer une main sur sa bouche. Si seulement j'avais mon téléphone, a-t-il continué de retour aux chuchotements, on aurait pu prendre une photo et revenir ici pour étudier le texte tranquillement. Enfin, pour que *toi,* tu m'expliques cette histoire de code.

— Oui, sauf que tous nos téléphones sont enfermés dans le gros coffre en bois, en bas...

— Et qui a les clefs ? m'a coupé Thomas.

— Ma mère ! ai-je lancé en me relevant d'un bond.

Soudain, une idée m'avait traversé l'esprit. C'était un plan risqué, mais qui valait le coup d'être tenté. Je me suis extrait de la couverture, me suis assis au bord du lit et j'ai expliqué à Thomas tout ce qui allait se passer pendant les prochaines minutes.

. . .

Mon cœur battait à tout rompre et je sentais ses secousses jusque dans mes oreilles. J'ai respiré un bon coup et je suis sorti de la chambre, direction celle de ma mère, au dernier étage.

Arrivé devant la porte, j'ai fermé les yeux et tenté de contrôler mon anxiété. Au bout de quelques secondes, j'ai frappé.

— Qu'est-ce qu'il y a, Olivier ? m'a demandé ma mère après avoir ouvert la porte. Qu'est-ce que tu fais tout habillé ?

— Euh... Je voulais pas sortir en pyjama...

— Ça va pas ? Tu en fais, une de ces têtes ! m'a-t-elle lancé.

— C'est Thomas, je sais pas ce qu'il a, il est enfermé dans la salle de bains depuis super longtemps et il ne répond pas.

Elle a écarquillé les yeux et pris un air des plus sérieux. Elle a disparu derrière la porte et est réapparue vêtue d'un peignoir gris sur lequel était brodé l'insigne de Rennes-le-Château. Puis elle s'est précipitée dans l'escalier et c'est le moment que j'ai choisi pour faire irruption dans sa chambre. Le trousseau de clefs était facilement trouvable, bien en vue sur la petite table de chevet. Je m'en suis saisi, l'ai mis dans ma poche et me suis dépêché de rejoindre ma mère. Mon cœur battait nerveusement.

Thomas était allongé dans son lit, son visage

dépassant à peine de la couette. Ma mère s'est approchée de lui et lui a demandé d'une voix douce :

— Ça va, Thomas ?

Il a ouvert les yeux lentement puis les a refermés aussitôt. On aurait dit qu'il était à l'article de la mort. Quel acteur !

— Ça va mieux, madame Leroy... Merci. J'ai dû avaler un truc de travers... ou mangé trop de bonbons. Mais je suis allé aux toilettes et ça va mieux.

Ma mère s'est penchée au-dessus de lui et a plaqué le dos de sa main sur son front.

— Bon, tu n'as pas l'air d'avoir de fièvre. Si tu te sens mal, n'hésite pas à envoyer Olivier me trouver, d'accord ?

Thomas a répondu par un hochement lent de la tête. Ma mère s'est tournée vers moi et m'a signifié qu'elle avait mis des cachets de paracétamol dans ma trousse de toilette et que je n'hésite pas à en donner à Thomas si vraiment il ne se sentait pas bien. Pendant qu'elle me parlait, ma main serrait fermement le trousseau de clefs dans ma poche pour ne pas que le cliquetis éveille des soupçons.

— Allez, bonne nuit les garçons ! nous a-t-elle enfin lancé en se dirigeant vers la sortie. Essaie de bien te reposer, Thomas, on verra si tu te sens mieux demain matin.

Elle m'a embrassé sur le front et s'est enfoncée dans l'obscurité du couloir. Lorsque j'ai fermé la porte derrière elle, je me suis tourné vers Thomas et j'ai brandi les clefs en l'air comme si je venais de remporter un trophée. Nous avons ri en silence, tentant d'étouffer les bruits en plongeant le visage dans nos oreillers.

Thomas a bondi hors de son lit et m'a tenu par les épaules :

— OK. C'est toi qui vas te charger de cette mission. Moi, je reste ici à faire le malade. Si ta mère ou un adulte repasse, je dirai que tu es dans les WC. Toi, tu files récupérer mon téléphone dans la malle en bois et tu cours faire une photo de ce parchemin. Dommage que tu aies filé le talkie à Amanda, on aurait pu rester en communication.

— Sinon, je récupère mon téléphone et tu l'utilises pour me parler ?

Il a marqué une pause pour réfléchir et a finalement secoué la tête :

— Non, ça va faire trop de va-et-vient. On doit faire le minimum de bruit possible. Tu descends, tu trouves mon téléphone dans la malle, tu sors, tu t'introduis dans l'église, tu prends la photo et tu te grouilles de revenir ici.

— Et pour les clefs ? ai-je demandé, un peu paniqué, en sentant la tension monter.

— En revenant, tu remets mon téléphone en place et tu laisses les clefs, je sais pas, moi, sur la malle ou sur la cheminée. Avec un peu de chance, ta mère pensera qu'elle les avait oubliées là avant de monter se coucher.

Pour toute réponse, j'ai hoché la tête et j'ai

commencé à m'habiller. Vu la température extérieure en pleine nuit, j'ai mis deux paires de chaussettes et Thomas m'a prêté son écharpe et son bonnet noirs. Ensuite, je me suis dirigé vers la porte de la chambre lentement et, hésitant avant de me lancer dans cette aventure périlleuse, je me suis tourné vers mon ami :

— Et si je croise le géant à la lanterne ? ai-je demandé en regrettant immédiatement d'avoir évoqué la silhouette étrange que nous avions vue la veille.

Thomas a haussé les épaules.

— Tu cours.

CHAPITRE 13

Pour descendre jusqu'au salon, j'ai décidé de ne pas mettre mes chaussures, ça aurait fait trop de bruit. Une fois devant la grosse malle en bois, j'ai essayé plusieurs clefs dans la petite serrure et, au bout de la troisième tentative, je suis parvenu à l'ouvrir. Près d'une cinquantaine de téléphones portables de toutes tailles et toutes marques confondues étaient entassés au fond de la caisse. Je ne pouvais pas prendre le risque d'allumer le salon, mais heureusement, les braises encore rougeoyantes dans la cheminée produisaient assez de lumière pour que je puisse y voir quelque chose.

Très vite, j'ai repéré le portable de Thomas – il avait placé sur la coque un autocollant du logo de son équipe de foot préférée – et je me suis dirigé vers la sortie. Sur le perron, je me suis chaussé et j'ai allumé le téléphone pour l'utiliser comme lampe de poche. Derrière le carreau de la porte d'entrée, la noirceur du paysage a provoqué des frissons dans tout mon corps. J'ai pris une grande inspiration, ai rabattu le bonnet sur mes oreilles et je me suis lancé.

Les derniers assauts de la tempête avaient recouvert toutes nos traces de pas de la journée et je devais m'orienter en me fiant à ma seule mémoire des lieux. À chaque fois que j'éclairais mon chemin, les arbres et les statues autour de moi projetaient des ombres mouvantes et effrayantes. J'avais la désagréable impression que quelqu'un m'observait et allait bondir sur moi à tout moment.

J'ai longé la grande bâtisse d'où j'étais sorti et j'ai débouché sur l'allée menant à la petite église. Un coup de vent a sifflé entre les branches d'un grand arbre au-dessus de moi et toute la neige accumulée sur une branche est tombée sur moi. J'ai sursauté et failli hurler. J'ai secoué la tête et ai accéléré le pas vers l'entrée de la chapelle.

Il n'a pas été très difficile de trouver la bonne clef : la vieille serrure était énorme et il n'y avait sur le trousseau qu'une seule clef qui pouvait correspondre.

Quand j'ai déverrouillé la porte et l'ai tirée vers moi, elle s'est ouverte dans un grincement lugubre qui m'a glacé le sang. Le bruit a résonné pendant de longues secondes dans la nef calme et déserte. J'ai braqué le faisceau lumineux devant moi et soudain, j'ai eu l'impression qu'une créature horrible se jetait sur moi ! Mes semelles mouillées ont glissé sur le sol lisse de la chapelle et je suis tombé. J'ai étouffé un cri et ai réussi à garder le portable dans ma main. La lumière blanche éclairait la gueule ouverte du diable et ses yeux terrifiants semblaient me dévisager.

C'est qu'une statue, me suis-je dit.

J'ai repris mon souffle et me suis levé pour verrouiller la porte derrière moi. Tout autour, les statues qui m'avaient semblé banales et inoffensives dans la journée m'avaient désormais l'air hostiles et monstrueuses. Les jeux d'ombres projetés par le téléphone portable les faisaient paraître en mouvement, j'avais l'impression qu'elles se déplaçaient, qu'elles s'approchaient et se resserraient autour de moi. Je commençais à avoir chaud, mon cœur battait de plus en plus vite et mes habits semblaient peser une tonne. Je n'avais qu'une seule envie : faire une photo du parchemin et me retrouver au plus vite dans le confort de mon lit.

Les mains tremblantes, j'ai cherché la clef qui ouvrirait la petite salle dans laquelle le texte mystérieux était exposé. Quand j'ai enfin déverrouillé la porte, j'ai cru entendre un bruit derrière moi. Est-ce que c'étaient les échos des cliquetis métalliques de la serrure qui se réverbéraient contre les hautes parois de la chapelle ? J'ai marqué une pause et tendu l'oreille. Seule ma respiration haletante brisait le silence de mort qui régnait dans l'édifice.

Bien décidé à quitter les lieux le plus vite possible, je me suis enfoncé dans la minuscule petite pièce et me suis enfin retrouvé face au cadre contenant le parchemin. J'ai brandi le téléphone au-dessus de mon regard et j'ai pris plusieurs photos que j'ai immédiatement vérifiées. Avec tous les efforts que j'avais entrepris pour venir jusqu'ici, il ne manquerait plus que les photos soient floues et le texte indéchiffrable.

Soudain, j'ai entendu un grand fracas. La lourde porte en chêne massif de l'entrée de la chapelle venait de claquer. Plus aucun doute désormais, quelqu'un venait de pénétrer dans l'église juste après moi. J'ai retenu ma respiration quelques secondes pour me concentrer sur les sons provenant de la nef. Des pas. Lourds et lents. J'ai senti un long frisson me parcourir toute la colonne vertébrale et lorsque j'ai repris mon souffle, j'ai senti le sang se diffuser dans tout mon corps.

Je me suis alors rendu compte que la lampe-torche du téléphone était toujours allumée. C'était sûrement ce qui avait indiqué ma présence à la personne qui marchait désormais dans ma direction. Dans un dernier élan de lucidité, j'ai braqué le faisceau sur le trousseau de clefs pour tenter de me figurer celle qui ouvrirait la porte de sortie. Ensuite, j'ai pris une grande inspiration et éteint la lampe. Je savais que ça livrerait la preuve que quelqu'un s'était bel et bien introduit dans la chapelle, mais désormais plongé dans l'obscurité la plus totale, j'étais une proie moins facile.

Je me suis propulsé sur ma gauche et jeté sur la serrure. Deux vieilles clefs rouillées m'avaient paru être de bonnes candidates. La première fut la bonne.

J'ai poussé un soupir de soulagement quand la porte s'est ouverte sur l'extérieur. Le vent glacial s'est engouffré à l'intérieur et m'a giflé les joues. Mes yeux s'étaient un peu accoutumés à l'absence de lumière et en m'aidant des souvenirs de notre visite plus tôt dans la journée, j'ai foncé tout droit sur le chemin qui longeait l'arrière du cimetière. Ce n'est qu'une dizaine de mètres plus tard que j'ai consenti à rallumer la torche : il fallait absolument que je retrouve mes repères.

À bout de souffle, j'ai jeté un coup d'œil derrière moi et c'est là que je l'ai aperçue.

La lanterne.

Une ombre gigantesque sortait à peine de la chapelle qui paraissait désormais minuscule d'où je me tenais, en comparaison avec la taille démesurée du géant. J'ai voulu accélérer ma course, mais mes semelles ont de nouveau perdu toute adhérence et j'ai glissé la tête en avant sur le tapis de neige.

Complètement paniqué, je n'ai pas réfléchi une seule seconde et j'ai planté mes mains dans le sol glacial pour me relever d'un bond. J'ai détalé comme un lapin et au bout de quelques enjambées, je me suis rendu compte avec stupeur que je n'avais plus le téléphone portable entre mes doigts.

J'ai tourné les talons et l'ai repéré, là, par terre à quelques mètres de moi. Et la silhouette sombre qui se rapprochait dangereusement, lanterne au niveau de son immense capuche de façon à ce que je ne puisse pas distinguer son visage.

Je n'avais qu'une seule envie : tout laisser en plan et me réfugier auprès de Thomas. Mais je ne pouvais pas avoir fait tout ça pour rien, alors j'ai fait demi-tour, le plus vite que j'ai pu, et j'ai saisi le téléphone.

La silhouette géante se rapprochait dangereusement de moi et avec la manœuvre qui m'avait contraint à revenir sur mes pas, je n'avais jamais été aussi près.

J'ai pris une grande inspiration et l'air glacé a brûlé mes poumons. J'ai effectué un ultime virage à cent quatre-vingts degrés et je me suis lancé dans une course effrénée jusqu'à la maison.

En arrivant à proximité, j'ai vu de la lumière à travers une des fenêtres du premier étage. C'était Thomas qui guettait mon arrivée. J'ai accéléré sur les derniers mètres qui me séparaient de l'entrée et avant même de reprendre mon souffle, j'ai regardé derrière moi. L'ombre avait disparu, comme volatilisée.

Était-ce la peur qui m'avait fait imaginer tout ça ?

CHAPITRE 14

Quand j'arrivai à l'étage, dans notre chambre, Thomas m'attendait, un grand sourire lui barrant le visage.

— Je suis trop fier de toi, mon pote ! T'as réussi à prendre une photo, c'est bon ?

Avant de répondre, je me suis débarrassé de tout ce qui me tenait chaud, à la limite de suffoquer. J'ai laissé tomber ma grosse veste sur le sol et lancé le bonnet et l'écharpe sur le lit de Thomas. Je me suis assis, j'ai repris un rythme de respiration normal et j'ai tendu le téléphone à mon ami. Il l'a examiné et son regard s'est illuminé.

— T'es un champion !

— Je crois que quelqu'un m'a vu, lui ai-je signifié, l'air inquiet.

— Hein ? Mais qui ? a-t-il dit en ouvrant grand les yeux.

— La forme géante ! Tu l'as pas vue, juste

derrière moi ?

Thomas a secoué la tête.

Si j'insistais, il allait me prendre pour un fou. J'ai donc décidé de garder cette information pour moi et je me suis approché de lui. Nous étions tous les deux autour de l'écran de son téléphone, scrutant les photos que j'avais prises.

— Regarde ! ai-je dit en effectuant un zoom sur les premières phrases du parchemin. Tu vois pas les lettres un peu différentes des autres ?

Thomas a froncé les sourcils et s'est gratté le sommet du crâne :

— Si, un peu... mais je vois pas du tout ce que ça change...

J'ai saisi le portable et me suis mis à étudier le texte.

« Non ebur neque aureum
mea renide***t*** in d***om***o lacunar,
non tra***b***es Hymettia***e***
premunt column***a***s ultima recisas
Africa, neq***u***e Attali
ig***n***ot***u***s heres regia***m*** occupavi,
n***e***c Laconicas mihi
t***r***ahunt h***o***nestae purpuras clientae.
At fides et ingeni
benigna vena est pauperemque dives
me petit ; ni***h***il supra
deos lacesso nec potentem amic***u***m

larg***i***ora flagito,
satis bea***t***us unicis Sabinis. »

— OK, d'accord, je reconnais que certaines lettres sont écrites différemment des autres, a enfin lâché Thomas en brisant le silence. Mais qu'est-ce que ça fait ?

— Prends du papier et un stylo et note, lui ai-je demandé.

Tout excité, il a fouillé dans son sac à dos et en a extirpé un cahier de brouillon et sa trousse.

— Je suis prêt ! a-t-il lancé.

Après avoir relu une dernière fois les phrases dans ma tête pour ne pas faire d'erreur, je lui ai dicté les lettres une par une :

— T, O, M, B, E, A, U, N, U, M, E, R, O, H, U, I, T.

— C'est tout ?

— Oui, c'est tout.

— Désolé, mais c'est du charabia.

— Mais non ! me suis-je écrié les bras au-dessus de ma tête comme si j'avais fait une découverte incroyable. Regarde : *tombeau numéro huit.*

Nous sommes restés silencieux pendant de longues minutes, puis Thomas a de nouveau rompu le calme qui régnait dans la pièce :

— Tu penses à ce que je pense ?

— Je ne sais pas à quoi tu penses, mais si tu

penses à ce que je pense, lui ai-je répondu, il va falloir qu'on trouve un tombeau qui porte le numéro huit.

Nouvelle pause.

— Le cimetière ! a-t-on crié à l'unisson.

Le visage de Thomas irradiait d'un enthousiasme communicatif.

— Tu crois que c'est pour ça qu'on a vu l'ombre mystérieuse de ce géant sortir du cimetière ? ai-je demandé à Thomas.

— Tu crois aux fantômes, toi ?

J'ai marqué une courte pause. Non, bien sûr que non, je ne croyais pas aux fantômes, mais Thomas et moi n'avions pas rêvé, il existait bien quelqu'un qui rôdait dans le village de Rennes-le-Château et j'étais persuadé que cette même personne m'avait suivi jusque dans la chapelle. Une créature ? J'ai secoué la tête.

— Non, ça n'existe pas.

— En tout cas, c'est sur ce cimetière qu'il faut se concentrer, ça ne fait aucun doute.

J'ai hoché la tête et me suis mis à fouiller la chambre du regard.

— Qu'est-ce que tu cherches ? m'a demandé Thomas.

— Le talkie. Il faut prévenir Amanda.

Je me suis levé et me suis dirigé vers le talkie-walkie posé sur le petit bureau contre la grosse armoire. J'ai approché l'émetteur de ma bouche et j'ai appuyé sur le gros bouton orange :

— Amanda ? C'est Olivier. Mission accomplie ! J'ai décodé le message !

Pour seule réponse, je n'ai entendu que des grésillements lointains pendant de longues secondes. Soudain, une voix métallique est sortie du petit haut-parleur :

— Ouiiiii, c'est Amanda ! Bravo, Olivier, je t'aime ! Je veux que tu viennes m'embrasser, tout de suite !

C'était Robin – ou Kevin, je ne sais pas –, mais l'un des deux imitait – très mal – la voix aiguë d'une fille. Il avait dû s'emparer du talkie-walkie et il s'amusait avec mes nerfs.

— Très drôle ! Tu peux me passer Amanda, s'il te plaît ?

— Tiens, elle arrive, ton amoureuse !

Une boule nerveuse s'est formée dans mon estomac. J'ai jeté un regard à Thomas et il a haussé les épaules en fermant les yeux dans un signe d'apaisement.

— Oui ? Olivier ? Mon amour ! Tu m'as tellement manqué !

Cette fois-ci, c'était bien une voix de fille, mais sûrement pas celle d'Amanda. Déçu et agacé, j'ai éteint le talkie-walkie et j'ai plongé dans mon lit, la tête la première dans mon coussin.

— Laisse tomber, mon pote, on a bien plus important qui nous attend demain, m'a dit Thomas sur un ton rassurant.

CHAPITRE 15

Le lendemain matin, nous étions tous réunis dans la salle du restaurant pour prendre notre petit déjeuner, comme c'était désormais devenu l'habitude. J'ai jeté un regard à la table d'Amanda et elle m'a rendu un sourire gêné. J'ai décidé de la laisser avec ses amis tout en sachant qu'on passerait quoi qu'il arrive la journée ensemble et qu'elle pourrait me donner des explications sur ce qui s'était passé la veille.

Quand tout le monde a eu à peu près terminé, ma mère a pris la parole. Elle se tenait debout devant l'assemblée avec, à côté d'elle, deux autres profs et des parents d'élèves.

— Je sais que les conditions climatiques ne sont pas idéales, mais ce matin, la tempête de neige semble nous épargner. Rien n'est moins sûr pour le reste de la journée, c'est pourquoi nous allons rassembler plusieurs groupes qui partiront faire la visite du cimetière et du parc attenant, tandis que les autres visiteront le pavillon de l'abbé Saunière. Débarrassez vos tables, retrouvez votre groupe et habillez-vous chaudement !

Dans un brouhaha général, tous les élèves se sont levés, éparpillés un peu partout et habillés. Farid nous a rejoints, ainsi qu'Amanda quelques secondes plus tard.

Thomas s'était déjà rapproché de ma mère pour la questionner :

— Madame Leroy, on est dans un des groupes qui vont visiter le cimetière ?

— Non, a-t-elle dit en secouant la tête. Nous allons visiter le pavillon. On sera au chaud, au moins !

Il est revenu vers nous la mine déçue. Il a jeté un regard froid à Amanda, mais n'a pas parlé, il devait attendre que je le fasse. La présence de Farid m'intimidait un peu, mais je me suis lancé :

— Qu'est-ce qu'il t'est arrivé, hier ? ai-je demandé sans laisser transparaître aucun sentiment dans ma voix.

— Désolée... a-t-elle répondu rapidement en baissant la tête. C'est les autres. Quand ils ont vu le talkie-walkie, ils me l'ont pris et ont voulu s'amuser avec. Olivier, je suis...

— T'inquiète, l'ai-je coupée. Est-ce que tu sais au moins que j'ai réussi à déchiffrer le message sur le parchemin ?

Elle a esquissé un immense sourire qui m'a fait chaud au cœur.

— Oui ! J'ai entendu ça. Bravo ! Je voulais venir te féliciter directement ce matin, mais j'ai pas osé… Je ne savais pas si vous m'en vouliez ou quoi.

— Personne ne t'en veut, est intervenu Thomas.

— Quelqu'un m'explique ? a soudain lancé Farid en écartant les bras.

— Euh… oui, c'est vrai, pardon, ai-je répondu. Tu te souviens du parchemin exposé dans la petite pièce à la sortie de la chapelle ?

J'ai marqué une pause et il a secoué la tête de bas en haut.

— Eh bien, il y avait une sorte de message caché dans le texte.

— Sérieux ? a-t-il dit en écarquillant les yeux.

— Sérieux.

— Et que disait le message ?

— Tombeau numéro huit.

Amanda, qui venait également de découvrir cette information, a elle aussi écarquillé ses grands yeux verts. Thomas a enchaîné :

— On pense qu'il faut trouver un tombeau portant le numéro huit pour avoir accès à un autre message. C'est pour ça qu'on attend impatiemment d'aller visiter le cimetière.

Les premiers groupes, constitués d'élèves habillés comme s'ils allaient se lancer à l'assaut du mont Everest, se sont mis en route et nous autres nous sommes préparés à visiter la dernière demeure de l'énigmatique abbé Saunière. Notre passage à l'extérieur a été heureusement de courte durée, car, comme avait dit ma mère, les conditions climatiques n'étaient pas idéales du tout. La neige était encore croûteuse ce matin et il avait gelé. Farid manqua glisser et je l'ai rattrapé de justesse. Ensuite, nous avons débarqué dans la maison.

Dans une pièce sur notre gauche, dont l'entrée nous était barrée par un gros cordon rouge, on avait disposé un mannequin grandeur nature représentant Bérenger Saunière dans sa soutane de prêtre, assis à une table et absorbé par une partie d'échecs. Tout près, un feu factice brûlait dans une cheminée en pierre.

Nous nous sommes enfoncés un peu plus dans la pièce et nous sommes passés devant un mannequin représentant une vieille femme assise sur une chaise à bascule. Ma mère nous a informés qu'il s'agissait de Marie Denarnaud, qui était ce qu'on appelle communément la bonne du curé. Ce qui était curieux en revanche, c'est qu'après avoir acheté tous ces terrains et fait construire toutes ces propriétés, Saunière avait tout mis au nom de cette femme. En gros, à la mort de l'abbé, elle avait hérité de tout. Étrange.

Nous avons fait le tour de la pièce où de vieilles photos en noir et blanc étaient exposées sur les murs. Elles semblaient retracer toute l'histoire du domaine, depuis les travaux effectués dans l'église jusqu'à la construction de tous les édifices et bâtiments qui constituaient aujourd'hui Rennes-le-Château. Sur presque toutes, on voyait un Bérenger Saunière tout souriant qui n'hésitait pas à prendre la pause.

Tu m'étonnes, moi aussi j'aurais eu un grand sourire si j'avais trouvé un trésor !

Ensuite, nous sommes montés à l'étage et les marches du vieil escalier ont grincé sous le poids de tout notre groupe. Au milieu de la pièce mansardée, une grande maquette représentant l'ensemble du domaine était exposée sous une cloche de plexiglas. On y distinguait bien la tour Magdala dans le coin à gauche et l'autre tour en verre dans le coin droit, reliée à la première par un chemin de ronde que nous avions déjà emprunté. Le cimetière et ses tombes bien alignées, l'église, le restaurant sur lequel était adossé une petite tour ronde que personne ne semblait avoir remarquée, quelques statues qui étaient disséminées dans une sorte de parc dont les pans carrés d'herbe et de graviers paraissaient former un damier et enfin, la villa où nous nous trouvions actuellement.

— Regarde ! m'a dit Thomas en pointant un doigt vers la maquette du cimetière. On dirait que toutes les tombes ont des numéros.

Je me suis approché, j'ai collé mon nez sur la paroi transparente et je les ai vus, les numéros. Je me suis retourné vers Thomas et je lui ai chuchoté :

— Il faut absolument qu'on visite ce cimetière

aujourd'hui.

Amanda, qui nous écoutait d'une oreille, parut soudain très intéressée.

Mais après que nous eûmes passé près de deux heures à visiter la villa et à écouter l'histoire de la région, ma mère allait nous annoncer une nouvelle qui allait compromettre tous nos plans.

CHAPITRE 16

Lorsque nous sommes sortis de la villa de Saunière, la tempête s'était levée et nous avons couru nous mettre à l'abri dans le restaurant. À l'intérieur, l'un des cuisiniers alimentait le feu avec de grosses bûches et la chaleur des lieux m'a réconforté.

Ma mère nous a fait asseoir et s'est adressée à l'assemblée :

— Nous allons devoir prévoir des activités d'intérieur cet après-midi, car le bulletin météo annonce de grosses chutes de neige à partir de midi.

Thomas, Amanda et moi nous sommes regardés, l'air affolé.

— Comment on va faire si on ne peut pas aller voir le cimetière ? m'a demandé Thomas.

J'ai haussé les épaules et ma mère a repris son discours :

— En attendant que les autres finissent leur

visite, vous avez quartier libre jusqu'au déjeuner, mais je ne veux voir personne rester dehors, c'est compris ?

Thomas et moi nous sommes levés et nous sommes dirigés vers la cheminée. Amanda et Farid nous ont emboîté le pas.

Je me grattais la tête pour essayer de trouver une solution quand Thomas a demandé à Amanda :

— Tes potes ont toujours le talkie-walkie ?

— Oui, je crois bien, a-t-elle dit, surprise par la question.

— Il faut essayer de les contacter, a-t-il lancé en me donnant un coup de coude comme pour me convaincre que son idée était la bonne.

— Attends, pourquoi tu veux faire ça ? ai-je demandé, pas tout à fait convaincu.

— C'est leur groupe qui est en visite au cimetière. Si Amanda leur demande un petit service, peut-être qu'on pourra avancer de notre côté.

— Un petit service ? a demandé Amanda en fronçant les sourcils.

— Oui, a-t-il répondu. Tu penses que tu peux leur demander de passer voir le tombeau numéro huit et de nous décrire ce qu'ils voient ?

Amanda a marqué une pause et remis une mèche de cheveux derrière son oreille.

— Euh... Ouais, je sais pas trop... a-t-elle répondu, l'air gêné.

— Allez, s'il te plaît, tu peux faire ça pour nous ?

a demandé Thomas en joignant ses mains comme pour prier.

Amanda m'a jeté un regard comme si elle cherchait une réponse dans mes yeux et mon cœur a accéléré. Je suis sûr que mes joues ont rosi, mais on aurait pu mettre ça sur le compte du froid qu'il faisait dehors.

— OK, a-t-elle finalement lâché dans un soupir.

Elle n'avait pas vraiment l'air de vouloir faire ça, mais je pense qu'elle s'est dit qu'après s'être fait voler le talkie, elle nous devait bien ça.

— Le talkie est dans notre chambre, ai-je dit en me tournant vers Thomas.

— Ta mère me croit toujours un peu malade de la veille, je vais aller lui demander si je peux monter vite fait chercher un médicament.

Nous avons suivi du regard Thomas qui avait détalé comme un lapin. Nous nous sommes resserrés devant l'âtre et avons tendu nos mains vers les flammes pour les réchauffer. On est restés silencieux pendant tout le temps où Thomas était parti. Je m'étais retourné rapidement pour voir ma mère acquiescer d'un hochement de tête quand il était allé lui parler et j'avais attendu sagement qu'il revienne. Je voulais briser la glace et dire quelque chose à Amanda, n'importe quoi pourvu que le silence gênant disparaisse. Mais j'étais complètement bloqué. Je ne sais pas si c'était la présence de

Farid ou l'absence de Thomas... ou ma timidité maladive qui revenait au galop alors que je l'avais bravée à plusieurs reprises déjà pendant le séjour.

J'ai été soulagé quand Thomas est revenu avec le talkie-walkie. Il l'a tendu à Amanda et l'a suppliée une nouvelle fois.

— Mais je leur dis quoi ? a-t-elle demandé.

— Demande-leur de te décrire ce qu'ils voient sur le tombeau numéro huit. S'ils te posent des questions, tu n'as qu'à dire que tu leur expliqueras quand tu les verras, je sais pas, moi, c'est tes potes, non ? Tu peux bien leur demander un petit service ?

Pour toute réponse, Amanda s'est saisie de l'appareil électronique et a appuyé sur le bouton. Elle a laissé s'écouler quelques secondes avant de parler et j'ai bien cru à un moment qu'elle allait abandonner.

— Kevin ? Robin ? Vous avez le talkie avec vous ? C'est Amanda.

Le haut-parleur est resté silencieux longtemps avant de crachoter une réponse dans un grésillement qui rendait difficile la compréhension :

— Aman...da ? Cccc'est Robin... que tu fais ?

— Rapproche-toi de la baie vitrée, ai-je osé lui chuchoter. Ça captera mieux.

Nous nous sommes tous déplacés lentement derrière Amanda. Le grésillement s'est fait plus net et elle a relancé leur conversation :

— Vous êtes toujours au cimetière ?

— Coucou, Amanda ! ont crié plusieurs voix féminines à l'unisson. Comment ça va avec les *geeks* ?

Amanda nous a regardés avec un air désolé puis elle a répondu :

— Ça se passe... Vous êtes toujours au cimetière ou quoi ?

— Ouais, c'est nul, a repris Robin. Et en plus, ça caille de plus en plus, je sens plus mes doigts de pied.

Amanda a marqué une pause, pris une grande inspiration et s'est lancée :

— J'ai un truc à vous demander... Si vous voyez une tombe qui porte le numéro huit, est-ce que vous pouvez me décrire exactement tout ce que vous y voyez ?

Il y a eu un silence puis le talkie a craché les rires de Robin :

— Ah, ah, ah ! C'est quoi, cette demande bizarre ? C'est les joueurs d'échecs qui t'ont lobotomisée ou quoi ?

J'ai vu le poing de Thomas se serrer.

— Mais non ! a-t-elle répondu sans sourciller. On doit remplir un questionnaire... C'est la prof qui nous l'a donné et si je veux une bonne note, j'ai besoin de savoir ça.

Elle s'est tournée vers nous et a haussé les épaules.

— Hein ? Qu'est-ce que tu me sors, là ?

Amanda a pris le ton autoritaire que je lui connaissais bien et a répondu à Robin sans se démonter :

— Bon, écoute, je vous demande un service, si

vous ne voulez pas, c'est pas grave, on se voit ce soir. Allez, salut.

De nouveau, un silence pesant, puis la voix métallique de Robin diffusée par le talkie :

— OK, d'accord, t'énerve pas ! On te fait signe quand on est devant.

— Merci, a-t-elle conclu sèchement.

Thomas a tendu son bras en l'air en souriant et Amanda a claqué la paume de sa main. Elle s'est tournée vers moi et a attendu que je fasse de même. J'ai fait gentiment claquer ma paume dans la sienne et un long frisson m'a parcouru. Farid s'est joint à nous et nous avons tous esquissé de grands sourires.

Dix minutes plus tard, alors qu'on s'était assis autour d'une table à discuter de tout et de rien, le talkie-walkie a grésillé :

— Amanda ? T'es toujours là ?

Elle a posé l'appareil au centre de la table et nous nous sommes tous rassemblés autour.

— Oui, oui, a-t-elle répondu.

— On est devant la tombe numéro huit, là. Tu veux savoir quoi ?

Un nœud s'est formé dans mon estomac ; nous étions si près du but.

Amanda m'a regardé un peu paniquée et a haussé les épaules en répondant à Robin :

— J'en sais rien, dis-moi juste ce que tu vois.

— Y'a un truc écrit sur la pierre.

J'ai retenu ma respiration et les battements de mon cœur se sont accélérés.

— Vas-y, lis-le-moi.

— Euh... OK... « *Gare à celui qui s'approche trop près du trésor, l'ogre veille* ».

CHAPITRE 17

G*are à celui qui s'approche, l'ogre veille.*

J'ai répété cette phrase des dizaines de fois dans ma tête après l'avoir entendue. J'ai repensé à l'ombre géante que Thomas et moi avions vue surgir du cimetière et je me suis tourné vers lui. Sans nous parler, nous nous sommes compris.

— Ça sonne plus comme un avertissement que comme un indice, a lancé Farid.

Il avait raison et moi-même, je trouvais ça étrange.

Le bulletin météo ne s'était pas trompé, les chutes de neige étaient impressionnantes et j'avais l'impression que Rennes-le-Château était coincé dans une de ces boules à neige qu'on trouve dans les boutiques de souvenirs. Thomas et moi avions passé la journée à essayer de déchiffrer un quelconque code dans le message que nous avait transmis Robin. Amanda nous avait vaguement aidés et quand le groupe dans lequel se trouvaient ses amis nous avait rejoints dans la salle du restaurant désormais surchauffée, elle nous avait lâchés. Cette fois-ci, elle s'était excusée et nous avait dit que puisqu'elle ne pouvait plus nous être d'aucune aide, elle préférait retrouver ses copines. Thomas l'avait priée de bien vouloir récupérer mon talkie-walkie et elle nous avait promis d'essayer.

Le soir venu, pendant notre quartier libre après le dîner, Thomas et moi nous sommes réfugiés dans notre chambre pour travailler une dernière fois sur l'énigme du trésor.

Nous avons repris le texte en latin pour essayer d'y trouver des correspondances avec les inscriptions sur le tombeau, mais nous ne sommes arrivés à rien. Chaque piste nous menait vers une impasse.

— C'est pas possible ! me suis-je écrié soudainement, faisant sursauter Thomas qui avait écrit une énième fois la phrase sur une feuille de papier.

— Quoi ?

— Cette inscription ne rime à rien. Si le parchemin nous mène vers ce tombeau, ça veut dire qu'on doit trouver un nouveau message codé.

— Le trésor est peut-être dans le tombeau, justement...

Je me suis redressé et suis resté sans bouger pendant de longues secondes.

— Tu crois qu'il faut qu'on aille vérifier ? ai-je demandé à Thomas.

— J'imagine qu'il y a une dalle en pierre ou un truc dans le genre. Ça doit peser hyper lourd. À nous deux on n'y arrivera jamais !

— Et à quatre, avec Farid et Amanda ?

— J'en sais rien, a-t-il répondu en se grattant le menton.

— Et s'il fallait creuser, tout simplement ! me suis-je écrié. Le géant à la lanterne avait bien une pelle à la main, non ?

— Mais oui ! a hurlé Thomas comme si nous avions déjà trouvé le trésor.

Il était sur le point de me dire quelque chose quand soudain, il y eut trois petits coups sur la porte avant qu'elle ne s'ouvre lentement.

C'était Amanda. En la voyant, j'ai pris une grande inspiration et lui ai fait un signe de la main pour qu'elle entre. Elle avait l'air gênée et son visage s'était tordu dans une grimace embarrassée.

— Désolée, Oli, j'ai pas réussi à mettre la main sur ton talkie. Robin et Kevin font les idiots, ils font semblant de ne pas savoir de quoi je parle...

— T'en fais pas, ils finiront bien par me le rendre, ai-je répondu pour la rassurer sans pour autant en être convaincu moi-même.

Elle a marqué une longue pause et a enfin brisé le silence :

— Vous faites quoi ?

— On essaie de déchiffrer le message que tes amis ont trouvé sur la tombe.

Je vis une lueur de curiosité dans son regard et elle s'est avancée pour venir s'asseoir sur mon lit.

— Et ça avance ? a-t-elle demandé.

— Pas vraiment, a répondu Thomas, plongé dans ses réflexions.

— Je commence à douter de ce que t'a dit Robin... Ça ne colle pas.

— Pourquoi il m'aurait menti ? a-t-elle dit en fronçant les sourcils, l'air légèrement vexé.

J'ai levé les bras en l'air et haussé les épaules.

— Je sais pas, Amanda. À ton avis ?

Elle a passé une main dans ses cheveux et s'est redressée, comme si elle analysait ce que je venais de lui dire.

— Mouais... T'as peut-être raison, a-t-elle répondu. Mais dans ce cas, il n'y a qu'une seule façon de le découvrir.

— Et c'est quoi ? ai-je demandé, l'air intrigué.

— Il faut nous rendre nous-mêmes au cimetière et trouver ce que cache réellement le tombeau numéro huit.

Ce qu'elle venait de dire avait explosé dans mon esprit comme un flash de lumière. Elle avait raison, il fallait qu'on puisse voir la tombe de nos propres yeux. Je me suis levé et me suis dirigé vers la fenêtre. Dehors, tout le village semblait dormir sous une couverture blanche et étouffante. Sur ma droite, le petit portail du cimetière se noyait dans le tapis neigeux et les quelques tombes que je pouvais apercevoir n'étaient plus que des bosses cotonneuses. Je me suis retourné et me suis adressé à tous :

— Je vais y aller. Maintenant.

— Quoi ? s'est écrié Thomas. Mais il fait nuit noire !

— Si tu y vas, je viens avec toi, est intervenue Amanda.

J'ai contenu un sourire, mais elle a remarqué la lueur que j'avais dans le regard. Elle la connaissait.

— J'ai vu qu'il y avait plusieurs lampes-torches accrochées à des clous près de l'entrée, a-t-elle renchéri. On peut partir tout de suite si on veut.

Sa détermination faisait plaisir à voir et elle avait relancé ma soif d'aventure. J'étais prêt à me lancer dans ce défi et je voulais le faire avec elle.

— D'accord, ai-je répondu, et elle m'a souri en retour.

Thomas s'est levé et s'est dirigé vers le talkie-walkie posé sur une des tables de chevet.

— Prenez ça alors, moi je reste ici à la fenêtre pour faire le guet, nous a-t-il dit en nous tendant l'émetteur.

— Mais c'est Robin et compagnie qui ont l'autre talkie, ai-je rétorqué.

— Ça, je m'en charge ! Je vous garantis que vous ne serez même pas arrivés devant la grille du cimetière que je l'aurai déjà récupéré.

— OK, ai-je dit, on attend que les profs passent dans les chambres faire l'appel et on se retrouve en bas juste après. C'est bon pour toi, Amanda ? Tu vas pouvoir sortir, avec ta veste et tout, sans attirer l'attention ?

Elle a fait oui d'un mouvement de tête.

— Je partage la chambre avec Charlotte. Dès qu'on éteint la lumière, elle met des bouchons dans ses oreilles, un masque de nuit sur ses yeux et elle s'endort en quelques secondes. Elle ne m'entendra même pas m'habiller.

— Dans ce cas, à nous le trésor ! s'est écrié Thomas.

CHAPITRE 18

Je me trouvais dans l'entrée, trépignant d'impatience. Amanda avait eu raison à propos des lampes-torches et je l'attendais, désormais équipé de l'objet qui nous aiderait à nous déplacer dans le noir absolu du village endormi.

J'ai entendu quelques marches de l'escalier craquer, mais les déplacements étaient si discrets que j'ai compris que c'était elle. Elle s'est approchée de moi avec un grand sourire qui trahissait son excitation et je le lui ai rendu.

— T'es prête ? lui ai-je chuchoté.

Prudente, elle ne m'a répondu que par un hochement de tête.

J'ai ouvert la porte ; le froid s'est engouffré à l'intérieur et nous a saisis. Cette expédition n'allait pas être une partie de plaisir, mais le fait de la faire avec Amanda valait bien tous les désagréments.

Par chance, la neige avait totalement cessé de

tomber, mais la température ambiante n'en restait pas moins frigorifique. Nous nous sommes déplacés rapidement sur les premiers mètres et, à mesure que nous approchions du cimetière, le tapis neigeux s'est fait plus épais, ralentissant notre progression.

Par souci de discrétion, je n'allumais la lampe que par courts à-coups de quelques secondes, de quoi mémoriser notre chemin et faire quelques pas. Entre les deux, l'obscurité nous enveloppait comme un linceul lugubre et froid.

Il y avait tellement de neige que lorsque nous sommes arrivés au niveau de la grille du cimetière, celle-ci ne pouvait pas s'ouvrir. Nous avons dû l'escalader. Amanda se mouvait avec aisance et ça me rappela de bons souvenirs. Je retrouvais le ninja qui m'avait tant impressionné un an auparavant en escaladant la façade d'une vieille grange.

Nous avions de la neige jusqu'aux mollets et Amanda avait dû tirer ses grosses chaussettes par-dessus le bas de son pantalon pour ne pas qu'elle s'infiltre dans ses chaussures. Nous nous sommes approchés de la première tombe qui n'était alors qu'une bosse neigeuse, comme une sorte de petit igloo abandonné.

Amanda a balayé la neige avec la manche de sa veste et j'ai braqué le faisceau de la lampe sur la surface mise à nu. On distinguait un numéro : *un*.

— C'est la première tombe, ai-je dit à Amanda. T'as vu, elles sont placées dans une sorte de grille.

On va essayer de trouver le numéro deux et à partir de là, on saura où aller.

Elle a de nouveau hoché la tête sans rien dire. Les reflets de la lampe sur la neige éclairaient son visage d'une douce lueur, elle avait l'air le plus sérieux du monde.

Nous nous sommes enfoncés un peu plus dans le cimetière et avons trouvé le tombeau portant le numéro deux.

Soudain, un bruit aigu a déchiré le silence de la nuit et Amanda a étouffé un cri. J'ai moi-même sursauté et des gouttes de sueur froide ont coulé le long de mon dos.

C'était le talkie-walkie.

J'ai précipité une main à l'intérieur de ma veste pour baisser le bouton du volume et, dans la seconde d'après, nous avons entendu la voix de Thomas à travers le petit haut-parleur :

— C'est bon, on peut communiquer ! Ça va, vous ?

— On approche du but, ai-je répondu en chuchotant.

J'aurais voulu lui demander comment il avait fait pour récupérer le talkie-walkie auprès de Robin et Kevin, mais nous devions nous faire les plus discrets possible et le temps nous était compté.

Arrivée devant ce que nous pensions être le tombeau numéro huit, Amanda s'est jetée les deux bras en avant, pelletant la neige à mains nues afin de nous permettre de l'étudier sous toutes les coutures.

Ma lampe éclaira le chiffre huit, gravé à l'extrémité d'une lourde dalle de pierre.

— Aide-moi à enlever toute la neige, a murmuré Amanda.

J'ai planté la torche à nos pieds et l'ai orientée de façon à ce qu'elle nous éclaire. J'ai enfoncé les mains dans mes manches et j'ai aidé Amanda à déblayer.

Il ne nous a fallu que quelques courtes minutes pour tout nettoyer et ça nous avait même réchauffés un peu. J'étais sur le point de récupérer la lampe pour éclairer la tombe et l'inspecter de plus près quand nous avons de nouveau entendu la voix grésillante de Thomas dans le talkie :

— Le géant ! Le géant approche de vous, il est entré par l'autre côté du cimetière !

Mon cœur a fait un bond et j'ai immédiatement éteint la lampe-torche. Amanda s'est jetée sur moi et nous sommes partis à la renverse, nos deux corps s'affalant dans la neige fraîche derrière la pierre tombale.

Je me suis retrouvé nez à nez avec elle, complètement allongée sur moi. Elle a dû sentir mes battements cardiaques accélérer, un mélange entre la gêne de l'avoir tout contre moi et la peur que le géant nous découvre.

Les bruits de pas se rapprochaient de nous. Nous avons tenté tant bien que mal de calmer notre respiration et quand les froissements et les glissements dans la neige se sont avérés tout proches, nous avons aspiré une grosse goulée d'air et sommes restés en apnée le plus longtemps possible.

Les pas ont ralenti puis se sont arrêtés. On pouvait entendre le souffle profond du géant.

Soudain, j'ai aperçu les reflets jaunâtres de sa lanterne dont le halo balayait autour de lui. Le visage d'Amanda s'est un peu éclairé et j'ai vu qu'elle avait les paupières fermement closes dans une grimace qui ressemblait à un cri silencieux de douleur.

Le géant était à quelques mètres de nous, je pouvais presque toucher son ombre. Il est resté comme ça, à projeter la lumière diffuse de sa lanterne dans tous les recoins du cimetière. Ça m'a paru durer une éternité. Mais nous étions presque totalement ensevelis dans la neige et la grosse pierre tombale nous protégeait de sa vue.

Au bout d'une éternité, il s'est remis en mouvement et s'est éloigné lentement. Amanda a poussé un soupir et j'ai senti le souffle chaud de son haleine sucrée m'effleurer le visage. Nos lèvres n'étaient séparées que par un filet d'air de quelques millimètres. Puis, quand nous avons estimé que nous étions hors de danger, elle a tourné le visage et s'est décalée sur le côté pour me soulager de son poids :

— Désolée, j'étais pas trop lourde ? a-t-elle murmuré.

J'ai secoué la tête et de la neige s'est glissée sous mon bonnet. Nous nous sommes relevés doucement et nous avons épousseté nos habits.

Pas de géant en vue, il semblait être déjà loin...

ou alors il avait tout simplement éteint sa lanterne et restait tapi dans l'ombre, attendant que l'on passe près de lui sur le chemin du retour.

Nous avons fait le tour du tombeau et nous nous sommes placés face à lui. J'ai éclairé la pierre à l'aide du faisceau et nous avons remarqué qu'elle portait de grosses gravures.

— Oh, non ! a chuchoté Amanda. Tu vois ce que je vois ?

— Ouais, ai-je répondu, dépité, on dirait bien que les inscriptions ont été effacées.

CHAPITRE 19

Déçus et fatigués, nous sommes restés immobiles assez longtemps devant le tombeau pour que le froid nous saisisse de nouveau.

— Viens, on rentre, ai-je dit d'une voix calme.

J'ai éclairé la voie devant nous et nous avons rebroussé chemin. Nous voyant faire demi-tour, Thomas nous a interpellés :

— Alors ?

— Y'a aucune inscription. Rien. Je t'expliquerai, ai-je répondu un peu trop sèchement.

— OK.

Arrivés à hauteur de la grille, nous avons remarqué que la neige autour avait été déblayée. Certainement l'œuvre du géant.

Un coup de vent a sifflé à travers les branches d'un pin au-dessus de nous et nous avons reçu une salve de flocons qui ont dansé dans le faisceau lumineux de la torche.

Soudain, derrière une statue en pierre au loin, j'ai vu une lueur orangée déchirer l'obscurité. Puis une masse noire et immense s'est élevée au-dessus du sol blanc et j'ai immédiatement saisi Amanda par le poignet.

Elle a poussé un cri et nous avons commencé à courir.

— AH, AH, AH, AH !

Un rire gras et caverneux. Le rire horrible du géant.

Il était à nos trousses, mais nous étions plus rapides et nous n'étions alors plus qu'à quelques mètres de l'entrée de la maison. J'ai jeté un coup d'œil par-dessus mon épaule et j'ai remarqué que notre poursuivant avait beaucoup de mal à se déplacer. Il traînait de la patte, comme s'il était blessé ou avait du mal à maîtriser ses jambes sur le sol glissant. C'était un avantage dont nous avons su tirer parti et j'ai accéléré de plus belle, entraînant Amanda derrière moi.

Quand nous sommes arrivés devant la porte principale de la maison, j'ai vu de la lumière à travers les fenêtres du rez-de-chaussée, et quand, à bout de souffle, j'ai ouvert la porte, j'ai réalisé que la grande salle était totalement illuminée.

Devant nous, ma mère et deux autres profs en robe de chambre se tenaient là, bras croisés et sourcils froncés.

— Vous étiez où ? a crié ma mère.

Nous sommes restés muets quelques secondes, le souffle court, mais nous savions que quoi que nous puissions dire, ça ne nous épargnerait pas une punition.

Le bruit avait déjà attiré certains élèves et j'ai vu quelques têtes pointer en haut des escaliers. Dont celle de Thomas, mais aussi celles de Robin et des copines d'Amanda. Je me suis tourné vers elle, son visage était rouge de honte.

Avant que nous puissions ouvrir la bouche et nous défendre, ma mère a hurlé :

— Filez dans vos chambres ! Demain matin, vous nous attendrez ici même avant de vous rendre au petit déjeuner et on vous signalera votre sanction.

J'ai baissé les yeux vers le sol et j'ai entendu quelques rires étouffés provenant du petit groupe d'élèves.

Sans dire un mot, Amanda et moi sommes remontés lentement vers notre chambre respective. Quand les moqueries, les rires et les huées se sont faits plus forts, ma mère a crié à tout le monde de se taire et de regagner son lit.

Je me suis mis en pyjama et me suis glissé sous ma couverture, le cœur lourd et la gorge serrée.

— T'en fais pas, mon pote, m'a chuchoté Thomas après avoir éteint la lumière. Je suis sûr que la punition sera toute petite.

— C'est pas pour ça que je m'en fais, Thom.

— Pour quoi, alors ?

— C'est cette histoire de tombeau numéro huit... Les inscriptions qu'il y avait à l'époque ont été effacées.

— C'est sûrement pour ça que personne n'a jamais retrouvé le trésor, tu crois pas ?

— J'en suis persuadé, maintenant.

— Ta mère ne nous avait pas dit que l'abbé Saunière avait passé beaucoup de temps dans le cimetière après avoir trouvé ce parchemin dans l'église ?

Je me suis redressé : la curiosité me piquait de nouveau.

— Mais oui ! C'est ça ! Saunière a dû décoder le parchemin, se rendre au tombeau numéro huit et quoi qu'il ait été écrit dessus, il l'a effacé afin de ne laisser aucune trace du trésor !

Le silence a soudain rempli la pièce puis, au bout de longues minutes, Thomas l'a brisé :

— Notre seule piste s'arrête là, alors ?

— J'en ai bien peur, ai-je répondu. À moins qu'on puisse se renseigner auprès de la seule personne qui doit connaître le secret...

— Qui ça ? Un des habitants du village ?

— Le géant. S'il rôdait autour du tombeau numéro huit, c'est bien qu'il est au courant de quelque chose.

J'ai entendu Thomas déglutir et s'enfoncer sous les draps. J'ai fait la même chose et j'ai essayé de trouver le sommeil.

CHAPITRE 20

Amanda et moi nous étions fait passer un savon. Je n'avais jamais vu ma mère aussi énervée et aussi déçue. Après le petit déjeuner, on nous avait laissés seuls dans l'ancienne maison de l'abbé Saunière avec chacun un devoir à faire. Pas le même, évidemment, pour ne pas qu'on puisse se donner les réponses, mais un devoir qui allait compter dans notre moyenne. Amanda avait eu droit à une colle de géographie et moi d'histoire.

On nous avait placés aux deux extrémités de la plus grande pièce du rez-de-chaussée et lorsque les profs nous ont quittés, j'ai jeté un regard à Amanda. Elle a explosé d'un rire si communicatif que je l'ai imitée. Mon cœur était soudain beaucoup plus léger. J'allais avoir une sale note à cette interro, c'était certain, mais je m'en fichais, j'allais passer la majorité de la journée avec Amanda et elle n'avait pas l'air de m'en vouloir de l'avoir entraînée dans cette histoire.

— C'est quoi, ton sujet ? m'a-t-elle lancé du bout de la pièce.

— Euh... Un truc sur Napoléon Ier. Y'a un texte... mais je comprends rien du tout.

Nouvelle salve de rires.

— Je te rassure, c'est pareil ici. De la géo... Je capte rien.

— C'est parti pour se plomber la moyenne du trimestre, ai-je ajouté.

— C'est pas comme si la mienne était géniale non plus, a répondu Amanda en faisant la moue.

Soudain, j'ai sursauté quand un son familier a brisé le silence qui régnait dans la maison. On aurait dit les crachotements d'un talkie-walkie. Amanda a esquissé un grand sourire et a sorti l'appareil de la poche intérieure de sa grosse doudoune.

— Salut, les amis ! s'est écriée la voix de Thomas. Je sais pas encore ce qui nous attend aujourd'hui pour la visite, mais si j'en apprends un peu plus sur cette histoire de trésor, je vous ferai signe.

— OK ! avons-nous répondu en chœur.

Et le silence était revenu.

Amanda avait la tête penchée au-dessus de sa feuille et fronçait les sourcils. Quant à moi, je relisais pour la dixième fois un paragraphe dont je ne comprenais pas la moitié des mots.

Après quelques minutes de concentration intense, Amanda s'est adressée à moi :

— Je voulais te dire que je suis désolée. Tu sais... pour mon comportement ces derniers temps...

— Y'a pas de souci, t'en fais pas, ai-je répondu en secouant la tête.

— C'était compliqué pour moi de redoubler... J'ai perdu toutes mes copines. Et puis avec mes parents, c'est pas la joie.

Elle s'est arrêtée de parler, sa voix s'étranglait dans sa gorge.

— Je te promets, y'a pas de problème, ai-je tenté de la rassurer. Je comprends.

Elle a souri puis a marqué une légère pause avant de reprendre :

— Je sais bien que Charlotte et Samantha sont des pestes, mais je sais pas...

Elle a fermé les yeux et passé sa main dans ses cheveux blonds. Je l'ai laissée continuer.

— Avec ce voyage, j'ai vu leur vrai visage. Elles veulent juste faire les malignes devant les garçons et elles sont parfois vraiment cruelles. Je pensais que c'étaient mes amis... Pourquoi ils m'ont menti au sujet du tombeau ?

— Ils prennent ça à la légère, j'imagine. C'est plutôt Thomas et moi qu'ils veulent atteindre en faisant ça, je pense que ça n'a rien à voir avec toi. Fais comme moi, n'y pense pas trop.

— Je sais pas comment tu fais.

— Honnêtement, j'essaie de prendre exemple sur Thom. J'ai l'impression que rien ne peut l'atteindre, celui-là.

— T'as raison. Finalement, il s'embête jamais avec toutes ces histoires, il vit sa vie comme il veut sans se soucier du regard des autres et c'est peut-être bien lui le plus heureux !

— C'est sûr que comparé à nous avec nos interros impossibles...

Elle a ri de nouveau et je me suis perdu dans son regard pétillant. J'ai replongé dans mon devoir et elle en a fait de même.

J'avais déjà réussi à écrire quelques lignes quand le talkie s'est remis à diffuser la voix de Thomas :

— Hé ! Vous allez jamais me croire. J'ai voulu discrètement aller voir le proprio, monsieur Plantard, mais il n'était pas là, alors je me suis introduit dans son bureau.

Amanda et moi avons écarquillé les yeux et je me suis précipité vers elle. Nous l'avons laissé reprendre :

— J'ai fait le tour de la pièce, j'ai fouillé un peu et je suis tombé sur une photo dans un cadre accroché au mur.

Comme il ne disait plus rien, je l'ai relancé :

— Et donc ?

— C'est une photo en noir et blanc de Bérenger Saunière qui pose avec sa bonne et des ouvriers dans le cimetière. Ils sont devant le tombeau numéro huit.

Mon cœur s'est emballé et Amanda a levé les yeux vers moi.

— Tu vois quelque chose ? ai-je dit en criant presque.

— Non, justement, les gens sur la photo empêchent de bien voir, mais je suis presque sûr que les inscriptions sont là.

— Tu veux dire que la photo aurait été prise avant qu'il ne les efface ?

— Exactement. Je crois me souvenir que des photos de cette même série étaient exposées dans la maison de Saunière qu'on a visitée hier. Si on pouvait trouver un moyen d'y retourner et de...

— On y est ! ai-je crié, et Amanda a sursauté. On s'est pris une colle et ils nous ont mis dans la maison.

— Vrai ? Alors, foncez ! Regardez toutes les photos et essayez de trouver celles qui ont été prises dans le cimetière. Avec un peu de chance, vous pourrez en trouver une où on distingue bien l'inscription.

C'était une idée de génie. J'étais fier de mon pote.

— Je vous laisse, les amis, il y a une autre pièce derrière le bureau et j'aimerais bien y jeter un œil avant de me faire prendre, a-t-il dit, puis il a coupé la communication.

J'ai relevé la tête en direction d'Amanda et haussé les épaules :

— L'expo photo est à l'étage. On fait quoi ? m'a-t-elle demandé.

— Quelle question ? On y va ! ai-je répondu avec un grand sourire.

— Et nos interros ?

— Même si tu me laissais une journée entière dessus, j'en tirerais rien de plus. Tant pis pour la note.

— Je vais encore foirer mon année, a-t-elle rétorqué dans une grimace.

— Je t'aiderai pour les maths si tu veux. On habite en face, tu peux venir quand tu veux.

Je ne sais pas quelle force m'avait poussé à dire ça, mais son regard a paru s'illuminer et elle a déposé un baiser sur ma joue. J'ai senti des frissons dans mon cou, des picotements pareils à de l'électricité.

— Allons-y ! s'est-elle exclamée.

Nous nous sommes précipités à l'étage et nous nous sommes réparti la grande pièce en différents secteurs de recherches. Je suis repassé devant la maquette du domaine et elle m'a semblé de plus en plus familière. Je ne pouvais pas dire si c'était parce que c'était la deuxième fois que je la voyais ou s'il y avait autre chose...

Nous avons scruté chaque photo sous tous les angles, notre nez presque collé contre le verre des cadres. Au bout de quelques minutes, je suis enfin tombé sur un cliché qui semblait similaire à ce que nous avait décrit Thomas. Bérenger Saunière souriait, le bras passé autour des épaules d'un ouvrier muni d'une pelle, et à côté d'eux, la bonne qui affichait un air un peu gêné. Entre eux, le tombeau numéro huit. Et sur la pierre tombale, une inscription était gravée.

— Amanda ! Viens voir ! me suis-je écrié et elle a accouru dans ma direction.

La photo était nette et on pouvait clairement lire les mots suivants :

Épée brandie, il fonce vers l'ennemi pour protéger le secret.

CHAPITRE 21

Un peu avant midi, ma mère est venue ramasser les copies. Amanda et moi n'en menions pas large : nos devoirs seraient assurément catastrophiques. Elle nous a sermonnés une dernière fois et nous avons enfin eu le droit de rejoindre les autres élèves en attendant l'heure du repas.

En chemin, Thomas nous a contactés à l'aide du talkie qu'Amanda gardait toujours caché sous sa veste.

— Hé ! Les amis, vous ne devinerez jamais ce que je viens de découvrir ! Venez vite me rejoindre, je suis dans le bureau du propriétaire du domaine, c'est la petite mansarde collée au restaurant.

Amanda m'a jeté un regard interrogateur.

— Allons-y ! lui ai-je lancé.

Nous avons tourné les talons et nous nous sommes lancés au pas de course dans la direction indiquée par Thomas. Arrivés à proximité du restaurant, nous avons longé la façade pour en faire le tour et soudain, nous avons aperçu, derrière le coin de la bâtisse, la maisonnette qui abritait le bureau de Plantard.

Amanda a prévenu Thomas à l'aide du talkie-walkie et il nous a dit de le rejoindre à l'intérieur. Nous sommes entrés et il nous a adressé un signe de la main.

— Venez !

Le bureau de Plantard était une pièce carrée au centre de laquelle une planche était installée sur des tréteaux et sous laquelle on avait glissé des meubles à roulettes munis de tiroirs. Des tas de papiers et de documents recouvraient toutes les surfaces et donnaient l'impression que le tout allait s'écrouler sous son propre poids à tout moment. Au mur, j'ai remarqué la photo dont Thomas nous avait parlé, elle paraissait d'un format beaucoup plus grand que les autres, et je me suis figuré que Plantard avait dû la faire agrandir.

Thomas a ouvert une porte étroite au fond de la pièce et nous avons pénétré dans une sorte de vestibule exigu dont une petite lucarne éclairait doucement l'intérieur.

Il a pointé un index vers un casier métallique pareil à ceux qu'on utilise quand on va à la piscine et là, à l'intérieur, j'ai vu ce que Thomas voulait nous montrer. Amanda a écarquillé les yeux et sa bouche s'est arrondie de surprise.

Pendue à un crochet, une toge munie d'une grande capuche de couleur sombre.

— C'est la cape du géant ! me suis-je écrié. Qu'est-ce que...

— Et regarde, là, a dit Thomas.

Amanda et moi avons suivi son doigt du regard et nous avons posé les yeux sur une paire d'échasses en bois reposant sur le mur à côté du casier.

— Le... Le géant, c'est... Plantard ? ai-je lâché.

— Je sais pas, qu'est-ce que t'en penses, Oli ? Ce type est à peine plus grand que moi, mais si tu lui mets des échasses aux pieds...

Soudain, le grincement de la porte d'entrée nous a fait sursauter.

— Y'a quelqu'un ! a chuchoté Amanda, le visage déformé par une grimace de peur.

Thomas s'est précipité pour fermer la porte de la pièce. Avec un peu de chance, la personne qui était entrée n'avait pas remarqué.

Nous avons tendu l'oreille et perçu des bruits de froissements de papier, d'ouverture de tiroirs et de raclements de gorge.

— C'est Plantard, a murmuré Thomas, je reconnais sa voix grasse.

— Qu'est-ce qu'on fait ? ai-je demandé le plus doucement possible.

— On peut pas rester coincés ici...

À peine avait-il terminé sa phrase qu'Amanda retirait sa grosse doudoune et installait un tabouret qu'elle avait trouvé là juste sous la lucarne.

— Qu'est-ce que tu fais ? lui ai-je dit.

— Je nous sors de là !

Elle a remonté ses manches, ouvert la petite fenêtre et a grimpé sur elle avec une fluidité et une aisance impressionnantes. Elle s'est glissée à travers l'ouverture avec difficulté et ça nous a prouvé, à Thomas et moi, que seul un corps menu comme le sien pouvait réussir cette prouesse. Si l'un de nous deux avait tenté ça, nous serions restés coincés, c'était certain.

Puis elle a disparu et nous l'avons entendue atterrir sur le sol neigeux.

De l'autre côté de la pièce, des sons de pas qui approchaient ont provoqué un nœud dans mon estomac. À peine ai-je eu le temps d'apercevoir la poignée de la porte qu'on tournait lentement que j'ai avancé mon pied pour bloquer l'ouverture. Les yeux grand ouverts, Thomas s'est figé comme un lapin pris dans les phares d'une voiture.

La poignée a fait des aller-retour de gauche à droite et de l'autre côté, Plantard a grogné. Je venais d'être puni pour être sorti la veille, en pleine nuit ; s'il nous trouvait là, c'en était fini de moi et je n'osais même pas imaginer ce qui pourrait m'arriver. J'ai senti qu'on poussait fort la porte contre mon pied. Je n'allais pas tenir longtemps, Plantard avait beau n'être pas très grand, il était néanmoins beaucoup plus costaud que moi.

Soudain, Thomas et moi avons entendu frapper

vigoureusement contre la porte d'entrée du bureau au loin :

— Monsieur Plantard, monsieur Plantard !

C'était la voix d'Amanda.

La pression contre mon pied s'est enfin relâchée et nous avons entendu le propriétaire s'éloigner en traînant des pieds.

— J'arrive, j'arrive ! Pas besoin de crier !

Des bribes de conversation indistinctes sont parvenues à mes oreilles et m'ont donné l'impression qu'Amanda et Plantard discutaient. Les battements de mon cœur martelaient mes tympans et couvraient presque tous les sons alentour. Puis, au bout de quelques secondes, plus rien. Le silence total, entrecoupé seulement par le souffle de nos respirations haletantes.

Trois coups sur la petite porte. Comme trois coups de massue tonitruants dont l'écho a rebondi sur les murs du cagibi.

— Vite ! Sortez ! nous a lancé Amanda à travers la porte. Et prenez ma veste !

Nous nous sommes immédiatement exécutés et quelques secondes plus tard, nous étions à l'extérieur, loin du bureau et hors de danger.

— Qu'est-ce que tu lui as dit ? ai-je demandé à Amanda.

— Oh, rien de spécial : qu'un de ses cuisiniers avait besoin de lui au restaurant.

J'ai esquissé un sourire et me suis penché en

avant les mains sur mes cuisses pour reprendre mon souffle. Thomas a posé une main sur mon épaule :

— Au fait, vous avez trouvé quelque chose ?

— Oui, une photo avec l'inscription sur le tombeau numéro huit, ai-je répondu.

Il a fait un léger pas de recul et un sentiment de curiosité a paru illuminer son regard. Il était pendu à mes lèvres, attendant que je daigne tout lui révéler.

— *Épée brandie, il fonce vers l'ennemi pour protéger le secret.* C'est ce que le texte disait, ai-je dit en haussant les épaules.

— Épée brandie ? a-t-il répondu en se grattant le menton. Tiens, tiens...

— Quoi ? a jeté Amanda en s'approchant de lui.

— Ça me parle, ça, une épée...

— Allez, accouche ! lui ai-je lancé, impatient.

Il a tendu un bras devant lui et indiqué une direction de son index :

— Là-bas, pas loin de la tour Magdala, il y a une statue de chevalier. Un gars sur un cheval qui brandit une épée.

J'ai senti des picotements dans tous mes membres. Nous approchions du but.

CHAPITRE 22

Amanda, Thomas et moi nous sommes déplacés vers la tour Magdala, en direction de l'extrémité du domaine de l'abbé Saunière. Derrière nous, le restaurant commençait à se remplir d'élèves et les adultes ne tarderaient pas à remarquer notre absence. Au loin, de gros nuages gris roulaient sur l'horizon, annonçant une tempête des plus inquiétantes. Il fallait faire vite.

Nous avons suivi Thomas jusqu'à la statue. Il avait dit vrai, c'était bien un cavalier sculpté dans une pierre totalement noire. Portant une armure, il semblait donner l'assaut contre un ennemi invisible. J'ai regardé la tour Magdala dont la silhouette se découpait dans le paysage à quelques dizaines de mètres derrière et une idée a commencé à se frayer un chemin dans mon esprit. J'ai repensé au nombre soixante-quatre qu'on retrouvait partout, dans le sol carrelé de la tour, les bas-reliefs de la grande cheminée du restaurant, le nombre de créneaux de la tour. Et sûrement bien plus encore. Je me suis revu observer le cimetière depuis la fenêtre de notre chambre et la disposition des tombes m'a paru tout à coup familière. Tout ce décor autour de nous paraissait vouloir me dire quelque chose, quelque chose qui allait exploser dans mon cerveau comme un feu d'artifice.

— Mais bien sûr ! C'est ça ! me suis-je soudain écrié.

— Quoi ? m'a lancé Amanda dont le visage affichait une expression de curiosité.

— Tout ça est un jeu d'échecs !

Amanda et Thomas ont froncé les sourcils et attendu que je continue.

— Ma mère nous a bien dit que Bérenger Saunière adorait les jeux d'esprit, les énigmes et tout ce qui fait fonctionner le cerveau. Je me rappelle que son mannequin jouait aux échecs au rez-de-chaussée de sa villa ! Le nombre soixante-quatre, c'est le nombre de cases sur un échiquier ! Le cimetière a été remanié et disposé en grille, exactement comme un jeu d'échecs, il y a soixante-quatre tombes. La tour, le cavalier... Ce sont des pièces du jeu d'échecs !

Thomas a ouvert grand la bouche et Amanda a plissé les yeux. Tous deux arboraient des expressions qui semblaient opposées, mais qui traduisaient le même sentiment : ils étaient intrigués.

— T'as raison ! a soudain hurlé Thomas. Tu te souviens de la maquette dans la maison de Saunière ?

J'ai hoché la tête, je commençais à comprendre où il voulait en venir.

— On voit bien que tout le domaine est presque carré et que toute la surface est quadrillée comme s'il y avait des cases noires et blanches.

— Mais bien sûr ! me suis-je exclamé en levant les bras en l'air. *Épée brandie, il fonce vers l'ennemi pour protéger le secret,* ai-je répété à haute voix. Si ce cheva-lier fonce vers l'ennemi, c'est qu'il se déplace. Et comment se déplace le cavalier ?

— En L ! a crié Thomas tout sourire.

Amanda nous regardait comme si nous étions deux extraterrestres.

— Il faut retrouver les cases et simuler un dépla-cement en L, comme le ferait un joueur d'échecs avec son cavalier. De cette façon, je suis sûr qu'on va tomber sur l'endroit où est caché un nouvel indice.

— Ou sur le trésor... a ajouté Amanda en me lançant un clin d'œil.

— Dans quelle direction ? a soudain demandé Thomas.

J'ai marqué une pause et me suis gratté la joue.

— Si la tour est là, ai-je dit en pointant un doigt devant moi, c'est que c'est le bout de l'échiquier... si le cavalier se déplace vers l'ennemi et que c'est une pièce noire, alors c'est dans ce sens ! ai-je conclu en pivotant sur moi-même, indiquant la direction du restaurant avec mes mains.

La neige recouvrait tout et nous nous sommes activés pour balayer le sol avec tout ce que nous pouvions : nos pieds, nos mains et même un branchage tombé au sol qu'Amanda a utilisé à la manière d'un balai.

Autour de la statue, un carré de graviers dessinait une case blanche et donnait raison à Thomas. Le sol avait été agencé à la façon d'un échiquier. C'était subtil, mais quand on l'avait remarqué, on ne voyait plus que ça.

Déblayer la neige nous a pris un bon quart d'heure et je craignais que les adultes ne soient déjà en train de s'inquiéter de notre absence.

— Regarde, Oli ! m'a lancé Thomas en pointant un doigt vers le sol.

Nous avions mis au jour les cases qui formaient le déplacement en L si caractéristique du cavalier. Tout au bout, une lourde dalle de granit sombre enfoncée dans la terre représentait la dernière case noire.

Mon cœur s'est emballé et j'ai perçu l'excitation sur le visage de mes deux camarades. Nous nous sommes précipités autour de la dalle à la recherche d'inscriptions ou d'une quelconque validation de notre théorie.

Thomas s'est accroupi et a fait glisser ses doigts sur l'arête de granit.

— On ne pourra jamais la soulever, c'est impossible.

L'air déçu, Amanda en fit le tour à pas lents et revint vers moi.

— Je n'ai pas remarqué non plus quelque chose

qui ressemble à une ouverture... On dirait qu'elle est vraiment soudée au sol.

Je me suis gratté la tête puis j'ai soufflé dans mes mains. Le froid s'était glissé sous mes habits comme un serpent glacial et je commençais à trembler. Amanda l'a très vite remarqué et elle m'a lancé :

— J'ai super froid, moi aussi !

Thomas s'est relevé et avant qu'il puisse nous dire quoi que ce soit, nous avons entendu un « Hé ! » provenant du restaurant.

Nous avons tous tourné la tête dans la même direction et nous avons aperçu l'autre prof d'histoire, monsieur Rodier, qui levait un bras en l'air :

— Hé ! Vous, là ! Revenez immédiatement ! a-t-il hurlé de colère.

Thomas a soupiré, mis un coup de pied dans la lourde dalle et a pivoté pour se mettre en marche. J'ai compris dans ce geste qu'il avait abandonné l'idée que nous pourrions jamais trouver ce trésor. Nous étions arrivés à un cul-de-sac, la dalle était impossible à déplacer, notre quête s'arrêtait fatalement là.

CHAPITRE 23

Thomas et moi étions allongés sur nos lits, le regard rivé sur le plafond, scrutant le vide. Le souvenir des heures précédentes me revenait par vagues successives.

Après l'échec de la dalle scellée au sol, nous avions rejoint le restaurant et une tempête de neige s'était soudain levée. Le froid nous avait glacé les sangs et de gros flocons avaient trempé nos habits, si bien que les cheveux pourtant si beaux et si raides d'Amanda avaient commencé à friser.

Amanda. Mon cœur s'était soulevé en la voyant ainsi, le visage triste et déçu, s'enfoncer dans le restaurant et rejoindre sa table sous les moqueries des gens qu'elle considérait comme ses amis. J'avais eu l'impression de la perdre une nouvelle fois. Je ne pouvais pas lui en vouloir de ne pas rester avec nous, car si elle avait voulu le faire, elle aurait dû déplacer ses couverts devant tout le monde et ç'aurait été trop difficile à assumer. J'avais vu le grand Robin la taquiner et j'aurais rêvé intervenir et lui dire de la laisser tranquille, mais moi aussi, j'aurais dû assumer de le faire devant tout le monde et je ne m'en sentais pas le courage. C'est pourquoi je la comprenais.

Dehors, des bourrasques glacées faisaient claquer les carreaux des fenêtres de notre chambre et on pouvait entendre les sifflements aigus du vent se diffuser dans tout le village. La nuit était noire et profonde, et un rideau de neige qui semblait impénétrable la faisait paraître encore plus hostile.

Soudain, Thomas a brisé le relatif silence de la pièce :

— Qu'est-ce qu'il nous reste comme options ?

— Qu'est-ce que tu veux dire ?

Il s'est tourné vers moi dans un froissement de draps.

— Dis-moi qu'on n'a pas fait tout ça pour rien.

— Qu'est-ce que tu veux faire de plus ?

— C'est ce que je te demande ! T'as déchiffré le message codé, on a réussi à retrouver l'inscription sur le tombeau et on est tombés sur une dalle impossible à bouger. C'est quoi, les options ?

— Si Plantard est le géant, alors il doit tout savoir. Il faut l'affronter et lui dire ce qu'on sait.

— T'oserais ?

J'ai réfléchi quelques secondes. J'ai repensé à

cette ombre gigantesque qui nous avait poursuivis, j'ai senti mon cœur s'accélérer et j'ai secoué la tête.

— Honnêtement, non.

— Il nous reste quoi, alors ? Trouver un bulldozer et déplacer la dalle ? Demander à ta mère de nous trouver un bulldozer ? Demander à ta mère d'aller parler au proprio du domaine pour qu'il nous trouve un bulldozer ? J'en sais rien, moi !

— Pourquoi tu inclus toujours ma mère dans tes options ?

— Parce qu'elle te fait confiance. Avec ce qui s'est passé dans notre village l'année dernière, elle voit bien que t'as la faculté d'élucider des énigmes, non ?

J'ai haussé les épaules et la couverture sur laquelle j'étais allongé est remontée de quelques centimètres.

— Je comprends pas à quel moment on s'est trompés, a-t-il repris en se redressant. Pour moi, le trésor de Rennes-le-Château se trouve sous cette dalle, c'est pas possible autrement !

Thomas s'est finalement levé et s'est dirigé vers le petit bureau en bois foncé, collé à la grosse armoire. Dans un coin, plusieurs prospectus touristiques étaient disposés à l'attention des clients qui séjournaient dans la maison d'hôte. Il a tendu la main et s'est saisi d'une brochure qui expliquait en quelques paragraphes l'histoire mystérieuse de Rennes-le-Château et du fameux trésor de l'abbé

Saunière. Il l'a dépliée, est venu vers moi et l'a étalée sur mon lit.

— On n'est pas fous, quand même, regarde-moi ça, c'est sûr et certain que ça représente un jeu d'échecs !

Un dessin représentant tout le domaine comme si on le survolait en avion occupait les trois pans de la brochure. Je me suis redressé à mon tour et j'ai enchaîné :

— Là, c'est la tour noire, ai-je dit en pointant la tour Magdala. Là, c'est le cavalier, ai-je ajouté, un doigt en direction de la statue noire, et quand on y fait attention, on aperçoit bien les cases de l'échiquier. On n'est pas fous, non !

Nos yeux parcouraient le dessin en long, en large et en travers, et Thomas s'est arrêté sur la représentation de la tour en verre qui se situait à l'extrémité nord-est du domaine.

— Et là, on peut dire que c'est la tour blanche, en face, non ?

Thomas avait raison, l'édifice avait été construit à l'identique de la tour Magdala, à la différence près que toutes les parois étaient constituées de carreaux de verre. Elle ressemblait à une sorte de serre pour faire pousser des plantes.

Soudain, une idée a germé dans mon esprit et elle s'est faufilée dans mon cerveau pour qu'il la tourne et la retourne dans tous les sens et l'analyse.

Si la tour en pierre située dans le coin en haut à gauche représentait la tour noire du jeu d'échecs et qu'en face, en haut à droite, se situait la tour blanche en verre, ça voulait dire que les deux adversaires de cette partie d'échecs imaginaire se trouvaient l'un en face de l'autre, à gauche et à droite.

Mes yeux se sont écarquillés et je me suis penché sur la brochure.

— Attends un peu ! Je crois qu'on s'est totalement trompés ! Regarde, si les pièces noires sont à gauche et que les pièces blanches sont à droite, ça veut dire que l'ennemi n'est pas au sud, mais à l'est !

Thomas a froncé les sourcils et digéré ce que je venais de dire.

— On s'est trompés dans le mouvement qu'on a fait faire au cavalier, c'est ça ? a-t-il demandé.

— Mais oui ! On a cru qu'il se dirigeait vers un ennemi qui était au sud, parce qu'on a imaginé l'échiquier dans un autre sens, mais en fait, l'adversaire est pile en face du cavalier, sur la droite !

Avec mon doigt, j'ai imité le déplacement en L de la statue noire du cavalier et il s'est arrêté sur un endroit bien particulier de la carte. J'en ai eu des frissons.

Sous mon index, le dessin affichait une sorte de petite chapelle qui portait une inscription gravée sur son fronton : CVI.

— CVI ? s'est étonné Thomas.

— C'est des chiffres romains, je pense.

— Ouais. Si ma mémoire est bonne, C, c'est cent, et VI, c'est six, donc ça fait cent six... Ça te dit quelque chose ?

— Cent six ? Non. À moins que...

J'ai approché la brochure de mon visage et j'ai senti la caresse du papier glacé sur le bout de mon nez.

— C'est pas cent six ! me suis-je écrié, les yeux brillants d'excitation. C'est C-6 ! Et tu sais ce que c'est ?

— Les coordonnées d'une pièce sur un échiquier ! s'est exclamé Thomas dans un grand sourire.

— Et regarde, c'est exactement les coordonnées de la chapelle sur le jeu d'échecs. C'est la preuve qu'on n'est pas fous !

Thomas a esquissé un grand sourire.

— Tu penses à ce que je pense ?

— Je ne sais pas ce que tu penses, mais si tu penses à ce que je pense, le trésor est peut-être dans cette minuscule chapelle !

CHAPITRE 24

— Il faut y aller ! m'a dit Thomas en me prenant par les épaules, avec l'air le plus sérieux du monde.

— Maintenant ?

— Je pourrai pas dormir de la nuit tant qu'on ne saura pas ce qui se cache là-bas.

— Pareil pour moi, lui ai-je avoué en secouant la tête.

— Pas une minute à perdre, alors !

Thomas et moi nous sommes habillés à la vitesse de l'éclair. Notre excitation était palpable, nous ne tenions plus en place. J'ai jeté un coup d'œil par la fenêtre et j'ai eu un frisson : la neige tombait fort et les coups de vent la faisaient danser de gauche à droite avec une force que nous devrions braver. Nous avons enfilé ce que nous avions de plus chaud, nous avons doublé toutes les épaisseurs et nous nous sommes emmitouflées dans nos vestes.

Je me suis élancé le premier dans les escaliers et Thomas m'a emboîté le pas. Nous avons essayé d'être les plus discrets possible, mais nos grosses vestes frottaient tout ce qui se trouvait autour de nous : les portes, les murs, la rambarde. Et les marches grinçaient et le sol couinait sous nos pas pourtant légers.

Arrivés en bas, nous avons décroché deux grosses lampes de poche du mur et nous nous sommes approchés de la porte d'entrée. J'ai tendu la main pour actionner la poignée. Verrouillée.

— Mince ! ai-je chuchoté. C'est fermé à clef.

— Qu'est-ce qu'on fait ? m'a demandé Thomas.

— On remonte. Tant pis, on verra demain.

— Non. Garde ta torche et suis-moi !

Surpris, j'ai observé Thomas qui détalait comme un lapin et remontait à l'étage. Comme j'étais resté planté là, il s'est arrêté et m'a fait signe de le suivre.

Je ne comprenais pas par quel moyen il voulait qu'on sorte de cette maison si nous revenions d'où nous étions venus.

Arrivé dans notre chambre, j'étais déjà en sueur et Thomas s'est précipité sur la fenêtre pour l'ouvrir.

Une tonne de neige s'est engouffrée à l'intérieur et le vent a fait virevolter la brochure de papier glacé et les autres prospectus. Complètement démuni, j'ai regardé Thomas défaire tous nos draps et les assembler les uns aux autres à l'aide de gros nœuds d'allure solide. Ensuite, il a accroché l'extrémité de cette sorte de corde de fortune au radiateur et l'a balancée à travers la fenêtre.

— Tu te rappelles quand je t'ai emmené faire de l'escalade cet été ? m'a-t-il demandé alors que je le fixais les yeux grand ouverts et la bouche arrondie.

— Tu veux qu'on descende en rappel ?

— T'as une autre solution ?

— Euh... Ne pas descendre en rappel et attendre demain ? ai-je dit en écartant les bras au-dessus de mes épaules.

— Allez ! Y'a juste un étage, c'est dix fois moins haut que ce que tu as grimpé cet été.

— Oui, avec un baudrier, une vraie corde, un casque...

— Je te guiderai pendant la descente. En deux secondes tu seras en bas, m'a-t-il coupé.

— Et toi, tu vas faire quoi ?

— Quand tu seras au sol, sain et sauf, je te rejoins ! Tu croyais quoi ? Avoir le trésor pour toi tout seul ?

Mon cœur s'est emballé, mais au fond de moi, je voulais tenter cette péripétie. Je savais que c'était l'adrénaline qui guidait mon envie d'être totalement déraisonnable et de suivre la folie de Thomas.

J'ai respiré un bon coup et je me suis approché du rebord de la fenêtre. Je me suis mis à califourchon et Thomas m'a regardé avec des yeux pleins de fierté. Je ne pouvais plus reculer.

— Attends ! m'a-t-il lancé, puis il est allé chercher quelque chose dans son sac. Tiens, prends le talkie. Moi, je prendrai l'autre, on sait jamais, si on est amenés à être séparés...

L'idée de me retrouver sans Thomas en pleine nuit au beau milieu d'une tempête de neige m'a serré l'estomac.

— OK, a-t-il repris. Maintenant, passe l'autre jambe et agrippe-toi fermement au premier nœud.

J'ai écouté ses conseils et me suis exécuté. Il y avait une sorte de minuscule rebord à un mètre à peine sur la façade sous la fenêtre et j'y ai posé la pointe de mes pieds. Une rafale m'a giflé le visage et j'ai cru un instant que j'allais m'envoler et tomber dans le vide. Mes mains gantées ont serré le drap comme si ma vie en dépendait. Et quand j'y repense, je crois bien que ma vie dépendait de la force avec laquelle j'allais pouvoir m'accrocher.

Soudain, je me suis dit que plus vite j'étais en bas, plus vite je serais sain et sauf, alors je me suis élancé et j'ai effectué une grande enjambée sur le mur et je suis descendu d'un bon mètre. Thomas était penché au-dessus de moi et il m'encourageait à continuer.

Je suis resté de longues secondes sans pouvoir faire une nouvelle enjambée, comme tétanisé. Je ne sentais plus le froid ni la neige me piquer les yeux, j'étais concentré sur l'idée de rester en vie.

Tout à coup, les yeux de Thomas se sont arrondis et son visage s'est déformé dans une grimace de peur. Mon cœur s'est emballé d'un seul coup.

— Quelqu'un a frappé ! m'a-t-il lancé à travers les

sifflements du vent. T'es presque en bas, continue comme ça !

Et puis il a claqué la fenêtre.

J'étais seul, pendu dans le vide avec pour seule sécurité, les draps défaits de nos deux lits.

J'ai gobé une grosse goulée d'air glacial et je me suis laissé descendre lentement jusqu'au nœud suivant. Là, une pierre saillante dépassait de la façade et j'y ai laissé reposer mon pied droit.

Mais, alors que j'essayais de ramener mon pied gauche, ma semelle n'a pas tenu l'adhérence et je suis tombé dans le vide.

CHAPITRE 25

J'ai fait une chute de plusieurs mètres qui aurait dû me briser tous les os, mais que l'épais tapis de neige a heureusement amortie. Un peu. Ma cheville s'est tordue d'un coup sec et la douleur m'a forcé à pousser un cri qui a déchiré la nuit.

Quand je me suis relevé, je n'ai pas pu poser mon pied sur le sol tellement ça me faisait mal.

J'ai serré les dents et j'ai confectionné une boule de neige que j'ai appliquée sur ma cheville douloureuse et enflée.

Au bout de quelques minutes, le froid avait anesthésié presque toute la partie inférieure de ma jambe et je ne sentais plus rien. J'ai levé le regard vers la fenêtre de notre chambre et j'ai vu que la lumière venait de s'éteindre.

Thomas m'abandonnait ?

J'étais seul, au beau milieu de l'obscurité. Il était

impossible de retourner dans ma chambre par la porte principale et encore moins par la fenêtre en escaladant.

Que faire à part aller jusqu'au bout de ce que j'avais entrepris ?

J'ai pris une grande bouffée d'air glacial pour tenter de calmer mon cœur qui s'emballait et je me suis lancé. J'ai marché en boitant jusqu'à la statue du cavalier puis j'ai simulé son déplacement en L. Les cases que nous avions mises au jour quelques heures plus tôt étaient totalement recouvertes de neige, mais je n'ai pas eu de mal à trouver la petite chapelle. Elle était là, juste devant moi, derrière un petit tas d'arbustes qui semblait étouffer sous une chape blanche et froide.

Je ne pouvais pas m'empêcher de jeter des regards rapides autour de moi : l'image du géant et de sa lanterne continuait de me hanter. Nous avions trouvé un habit similaire et des échasses dans l'arrière-salle du bureau de Plantard, mais rien ne nous prouvait que c'était lui qui jouait à rôder sur le domaine toutes les nuits. Et même si c'était le cas, je n'étais pas rassuré pour autant. Pourquoi avoir recours à cette pratique bizarre si ce n'était pour servir un but mystérieux, voire malhonnête ?

J'ai effectué un dernier tour d'horizon à l'aide de la lampe-torche pour vérifier que personne ne m'avait suivi. Les flocons de neige traversaient le faisceau et on aurait presque dit que je tenais dans mes mains un sabre laser.

J'ai approché de la petite chapelle et j'ai poussé la grille d'entrée, qui s'est ouverte dans un léger grincement.

J'avais déjà vu ce genre de construction dans des cimetières et quand je l'avais vue en dessin sur la brochure touristique, je m'étais immédiatement dit que c'était un tombeau familial.

Les rafales me cinglaient le visage et m'obligeaient à plisser les yeux, aussi étais-je impatient de me mettre à l'abri, mais dans l'obscurité, l'entrée de la chapelle ressemblait à la bouche d'un monstre qui s'apprêtait à m'avaler tout entier. J'ai fermé les yeux et j'ai fait un pas à l'intérieur.

Quand je les ai rouverts, ma lampe-torche éclairait devant moi une énorme tombe en pierre. Tout autour, des sculptures d'anges prenaient des poses qui paraissaient maléfiques selon l'angle avec lequel le faisceau de lumière les balayait. J'ai refermé la grille derrière moi, plus par réflexe qu'autre chose, et le grincement m'a provoqué un long frisson dans toute la colonne vertébrale. Je sentais ma cheville qui recommençait à me lancer, mais je n'y prêtais pas attention, j'étais si près du but…

J'ai fait le tour du tombeau et l'ai éclairé sous tous les angles quand soudain, sur un des côtés, j'ai aperçu quelque chose. Je me suis accroupi et j'ai lâché un petit cri de douleur quand j'ai dû plier ma cheville.

Devant mes yeux écarquillés se trouvait un texte de plusieurs lignes gravé à même la paroi et sous lui, une série de petits cubes de pierre sur lesquels apparaissaient des chiffres romains au nombre de neuf.

Le cercle blanc de la lampe parcourait les lettres à mesure que je lisais les mots.

Surplombant le terrain, tel un phare brillant,
J'observe calmement les tombes des dormants,
Moi, la sentinelle, le gardien de ces lieux.
Combien de mes faces reflètent l'or des cieux ?

J'ai passé de longues minutes à lire et relire ce qui avait tout l'air d'être un poème de quatre vers en alexandrins, c'est à dire de deux fois six syllabes chacun. Les chiffres dansaient dans ma tête. Six fois quatre... vingt-quatre... quatre fois douze... quarante-huit...

Je ne savais pas pourquoi, mais je cherchais désespérément quelque chose en rapport avec le nombre soixante-quatre. Mais je ne trouvais rien. Rien en rapport avec les échecs non plus, en tout cas, pas à première vue.

À court d'idées, j'ai décidé d'appeler Thomas avec le talkie-walkie. Au bout de quelques longues secondes, il a répondu et j'ai poussé un soupir de soulagement.

— Ça va, mon pote ? m'a-t-il demandé dans un grésillement électronique.

— Qu'est-ce qui s'est passé ?

— Ta mère est passée dans la chambre. J'ai juste eu le temps de faire couler l'eau dans la douche et j'ai fait croire que tu te lavais. Je suis pas sûr, mais je crois qu'elle va repasser. Faut que tu te grouilles !

Ses mots ont fait bondir mon cœur et tout à coup, ma cheville m'a lancé de nouveau.

— Je suis dans la petite chapelle, ai-je rétorqué sans transition.

— T'es un champion ! Alors ? Raconte ! a-t-il dit avec une pointe d'excitation dans sa voix.

— Je suis devant un tombeau, y'a des chiffres romains et une sorte de poème...

— C'est un code ! T'as essayé d'appuyer sur les chiffres ?

— Merci, j'avais compris...

Je lui avais répondu rapidement, un peu vexé, alors que je n'avais pas tenté de presser sur les cubes de pierre. J'ai tendu mon bras et avancé un index sur celui qui portait le chiffre I. Il s'est enfoncé lentement dans un petit cliquetis d'engrenage miniature, ce qui m'a confirmé qu'il existait une sorte de mécanisme qui devait déverrouiller quelque chose quelque part.

CHAPITRE 26

— Il dit quoi, le poème ? s'est-il empressé de me demander.

Je lui ai répété chaque phrase bien distinctement et nous avons commencé à réfléchir à deux.

— *Surplombant le terrain, tel un phare brillant, j'observe calmement les tombes des dormants, moi, la sentinelle, le gardien de ces lieux.* Ça peut être quoi ? Un oiseau ? Un aigle ? ai-je lancé.

— Non... Ça parle d'un phare, donc plutôt quelque chose de long...

— Un poteau ? Un mât ? Un arbre !

— Un arbre, oui, pas mal.

Comme je ne bougeais plus, le froid commençait à me saisir. J'ai soufflé dans mes mains et la buée a gentiment glissé sur le faisceau de ma lampe. Je me suis gratté le crâne à travers mon bonnet.

Un arbre brillant ? Non. Ça n'avait pas vraiment

de sens. Un oranger ou un citronnier, peut-être, par rapport au soleil, à la lumière... J'ai secoué la tête.

— Qu'est-ce qui surplombe le terrain à part un arbre ? ai-je relancé.

— Mmmm... De notre fenêtre, on voit bien une partie du domaine dont le cimetière. Ça pourrait être la maison. Y'a la tour, sinon.

— Mais oui ! me suis-je écrié. La tour Magdala ! Elle est comme un phare qui s'élève vers le ciel !

— Mouais... Un phare brillant ?

Soudain, une idée m'a traversé l'esprit et mes yeux ont sauté directement à la dernière phrase : *« combien de mes faces reflètent l'or des cieux ? »*

En ce qui concernait « l'or des cieux », j'avais tout de suite pensé au soleil, ça ne faisait presque aucun doute selon moi. Mais les faces ? Des faces qui réfléchissent la lumière du soleil ?

— T'es toujours là ? a craché le petit haut-parleur du talkie.

— Oui, oui. Je réfléchis. J'essaie de voir si la tour Magdala pourrait coller avec les autres vers du poème.

— Redis-le-moi.

Je lui ai récité une nouvelle fois la strophe et des multitudes d'images de notre séjour me sont revenues soudain.

— J'ai trouvé ! ai-je hurlé. C'est bien d'une tour qu'il s'agit, mais pas la tour Magdala. C'est l'autre, en face, la tour en verre !

— La tour blanche du jeu d'échecs, a soufflé Thomas.

— Exactement ! Il faut simplement répondre à la question. De combien de facettes en verre est-elle constituée ? Tu sais ça, toi ?

— Bouge pas, je vais regarder dans la brochure !

Je ne risquais pas de bouger, j'étais littéralement frigorifié et seule l'excitation de toucher un trésor millénaire du bout de doigts me donnait encore l'énergie de poursuivre. J'ai attendu une longue minute avant que Thomas ne parle de nouveau dans le micro.

— Y'a rien, a-t-il dit, et j'ai pu sentir sa déception dans sa voix.

— Quand on était punis, Amanda et moi, t'es pas allé visiter la tour en verre, par hasard ?

— Non, ça, c'était l'autre groupe.

— Le groupe avec les amis d'Amanda ? ai-je demandé.

— Ouais.

— Thomas, ai-je dit du ton le plus sérieux, il faut absolument que tu ailles la trouver et qu'elle leur demande s'ils connaissent l'information. Je suis certain que le prof leur a dit lors de la visite... J'espère qu'ils ont un peu écouté... et retenu quelque chose.

— Il est tard, je sais pas si...

— Je vais mourir de froid ici, Thomas ! Dépêche-toi, va voir Amanda et demande-lui ! Je vais pas pouvoir tenir encore très longtemps.

— OK, OK.

Et puis plus rien. Le silence le plus total. Seule ma respiration brisait la tranquillité de la petite chapelle. Je tendais l'oreille vers la grille d'entrée à l'affût du moindre bruit de pas dans la neige. Et si l'ombre me trouvait avant que Thomas ne revienne ?

Le temps a paru s'étirer infiniment et je commençais à claquer des dents. Ma cheville engourdie me lançait des décharges de douleur à chaque mouvement que je faisais. Mes yeux se sont mouillés et j'ai bien cru que les larmes qui se formaient allaient geler.

Soudain, le talkie s'est mis à crachoter :

— 2 311 ! La tour est constituée de 2 311 faces de verre !

J'ai sursauté et mon cœur s'est emballé. J'ai entendu le sang rugir dans mes tympans.

— C'est sûr ? ai-je demandé, un peu sceptique.

— Oui, oui ! C'est le grand Robin qui a retenu le nombre. Il a dit que ça lui était resté en mémoire parce qu'il avait remarqué que ça formait sa date de naissance, le 23 novembre.

J'ai souri intérieurement en pensant au fait qu'un détail si futile, fourni par quelqu'un que je considérais comme un idiot – sûrement à tort –, allait peut-être m'aider à résoudre une énigme que des archéologues et des chercheurs n'avaient pas réussi à élucider pendant des siècles.

Le doigt tremblant – la peur ou le froid ? – j'ai

appuyé sur les cubes de pierre. D'abord le II, puis le III et enfin deux fois le I.

J'ai bien cru que mon cœur s'arrêterait de battre quand j'ai entendu les rouages du mécanisme diffuser des bruits sourds qui ont résonné dans la petite chapelle. Un loquet s'est soudain déverrouillé et j'ai pu voir la pierre tombale se soulever de quelques centimètres.

Je me suis levé et j'aurais dû hurler de douleur à cause de ma cheville foulée, mais un sentiment de joie et d'excitation mêlées avait anesthésié tous mes sens.

J'ai coincé la torche sous mon aisselle et j'ai appliqué les paumes de mes mains sur la pierre froide pour la pousser de toutes mes forces vers le haut. Contre toute attente, la tâche n'a pas été si difficile que ça et je me suis dit qu'une sorte de poulie ou de vérin devait aider à soulager le poids.

J'ai braqué le faisceau lumineux à l'intérieur de la cavité sous le couvercle massif et ma bouche et mes yeux se sont arrondis.

Là, à quelques centimètres devant moi, un vieux coffre en bois semblant dater du début du monde attendait qu'un chercheur de trésor plus malin que les autres le trouve.

— Alors ? a hurlé Thomas dans le talkie.

Je l'avais presque oublié.

— Ça a marché, Thom ! Ça a marché ! On a trouvé le trésor de Rennes-le-Château !

CHAPITRE 27

J'ai agrippé le coffre par les deux poignées métalliques sur les côtés et je l'ai arraché à sa cache millénaire. Un sentiment d'ivresse a envahi tout mon corps, j'avais l'impression d'avoir trouvé une des reliques les plus importantes de toute l'Histoire de France. Qu'y avait-il dedans ? Je voulais partager l'excitation de cette découverte avec Thomas et Amanda et j'étais très pressé de pouvoir le rapporter à l'intérieur de la maison.

Il n'était pas très lourd, mais le poids supplémentaire qui appuyait sur ma cheville réveillait la douleur à chaque pas. Je suis sorti de la petite chapelle en boitant sérieusement. Mes pieds traînaient dans la neige et mes chaussures étaient désormais trempées.

Au bout d'une dizaine de mètres, le grand pin qui cachait la maison où nous logions a dévoilé la façade et j'ai remarqué qu'il y avait de la lumière derrière presque toutes les fenêtres.

À l'étage, Thomas me faisait de grands signes et au-dessus encore, j'ai cru voir Amanda et ses copines qui criaient, leurs piaillements couverts par les rafales qui sifflaient à travers mon bonnet. Derrière les carreaux du rez-de-chaussée, j'ai entraperçu la chevelure de ma mère et les silhouettes des autres adultes à côté d'elle.

Je me traînais de plus en plus et porter le coffre m'obligeait à forcer sur ma cheville, c'en était trop pour moi.

Après un dernier effort pour avancer dans la tempête, j'ai dû lâcher mon fardeau sur le matelas de neige et continuer ma progression en le traînant derrière moi. Évidemment, ce n'était pas très pratique et je marchais encore moins vite que quelques secondes plus tôt. Le sillage laissé derrière moi témoignait de ma lente progression.

Je ne sais pas si c'était la fatigue ou si la tempête avait redoublé de vigueur, mais j'étais à bout de forces et j'ai bien cru que j'allais m'écrouler, là, sous les yeux de tout le monde.

Soudain, une silhouette mouvante s'est détachée du décor et je l'ai observée s'approcher de moi rapidement alors que je prenais une courte pause. C'était Amanda. Elle courait dans ma direction, dans la neige et à travers les rafales cinglantes. J'ai vu son sourire. Mon cœur s'est emballé.

Sans un mot, elle a tendu le bras et agrippé la poignée du coffre, sa main recouvrant la mienne. Même à travers mes gants, je pouvais deviner la douceur de sa peau et j'ai senti un long frisson remonter de mon bras. Ça m'a redonné de l'énergie et j'ai lâché avec regret la poignée pour saisir l'autre.

Et nous nous sommes mis en marche vers la maison. Malgré le temps hostile et la noirceur de la nuit, nous affichions tous les deux un sourire fier et radieux.

Une fois à l'intérieur, nous avons lâché le coffre sur la grande table du salon. Un feu brûlait encore timidement dans la cheminée et la chaleur m'a fait du bien.

Lorsque nous étions passés devant les adultes, j'avais été étonné de voir que l'expression sur leur visage n'affichait ni colère ni exaspération. J'ai froncé les sourcils à l'idée que tous cachaient quelque chose. Je m'attendais franchement à être réprimandé sur-le-champ, mais tout le monde est resté silencieux pendant de longues minutes. Est-ce que ma mère s'enchantait déjà de la punition magistrale qu'elle allait m'administrer ?

Comme personne ne disait rien, je me suis tourné vers Amanda et pour toute réponse, elle a haussé les épaules. J'ai cherché Thomas du regard, mais dans la foule d'élèves qui s'était amassée dans l'escalier, je ne l'ai pas trouvé.

Soudain, toutes les lumières se sont éteintes et mon cœur s'est soulevé.

J'ai entendu de petits cris étouffés et quand je me suis retourné, j'ai compris. Une masse gigantesque et sombre venait de faire irruption dans la pièce par la porte du fond. Une silhouette effrayante habillée d'une toge sombre munie d'une grande capuche. Sa lanterne projetait des ombres lugubres sur les murs de la pièce. Le géant. Le protecteur du trésor. Il revenait sûrement reprendre ce qu'on lui avait volé.

Puis nous avons entendu sa voix caverneuse. Un rire rauque et grave qui m'a glacé le sang.

Amanda s'est retournée à son tour, elle a poussé un cri aigu, puis s'est précipitée à mes côtés et a serré ses bras autour de moi.

Le rire guttural s'est peu à peu transformé en un véritable rire qui, de toute évidence, a été communicatif. J'ai entendu les adultes derrière moi s'esclaffer.

Et puis on ralluma la pièce.

Le géant a repoussé sa capuche en arrière pour dévoiler son visage : monsieur Plantard. Ce qui confirmait ce que nous avions découvert dans le petit cagibi derrière son bureau.

Il a ouvert sa robe marron et nous avons tous pu constater qu'il se tenait sur des échasses. Il a fait un petit bond en avant et est redevenu le petit homme gras qu'il avait toujours été. Il n'avait pas cessé de rire, les yeux pétillants de joie. La joie de nous avoir effrayés pendant trois jours !

Plantard s'est approché de nous – Amanda était toujours scotchée à moi –, il a sorti une petite clef de sa poche et il me l'a tendue.

— À toi l'honneur !

Ma bouche s'est arrondie et j'ai saisi la clef. Amanda s'est décrochée de moi et a fait un pas de recul comme pour mieux m'observer et mieux saisir ce moment solennel.

Je me suis approché du coffre, ai inséré la clef dans la serrure et l'ai fait tourner.

À l'intérieur, devant mes yeux ébahis, se trouvaient… du pain d'épices, du chocolat, des gâteaux, des bonbons multicolores et toutes sortes de sodas qui constituaient un festin de sucreries.

Comme je m'attendais à y trouver des pièces d'or ou des bijoux, j'ai été tout d'abord très surpris. Et puis la voix grasse de Plantard m'a extirpé de mon étonnement :

— Il est un peu tard pour tout ce glucose, a-t-il dit, mais bravo à toi, tu as su déchiffrer les énigmes et trouver le trésor de Rennes-le-Château !

— On avait plutôt prévu que ça se passe demain avant de partir, mais tu es tellement têtu que tu n'as pas pu t'empêcher de sortir en pleine nuit alors que c'était interdit !

C'était ma mère. Le ton de sa voix était grave, mais au fond, je savais que malgré les quelques bêtises que j'avais pu commettre pour retrouver ce coffre, elle était fière de moi.

— C'est grâce à mon pote Thomas, et à Amanda aussi ! ai-je déclaré devant tout le monde comme si je m'apprêtais à faire un discours.

J'ai scruté la foule d'élèves et j'ai accroché le regard de Farid. J'ai empoigné le coffre et me suis approché de lui.

— C'est grâce à toi aussi, Farid, ai-je dit en lui tendant un petit sachet de bonbons.

Dans l'assemblée, j'ai enfin aperçu Thomas qui avait levé le poing en l'air et dont le visage affichait un air victorieux.

Je me suis dirigé vers Robin et sa bande et je les ai regardés tous pendant de longues secondes, sans rien dire. Puis j'ai déclaré :

— Merci, les filles et les gars, sans vous ça n'aurait pas été possible, ai-je dit en leur tendant le coffre pour qu'ils se servent.

Au début, ils ont écarquillé les yeux et n'ont pas osé bouger. Je pense qu'ils ne s'attendaient pas du tout à ce geste de ma part. Et puis Kevin s'est enfin décidé à piocher dans le trésor de bonbons en me lâchant un « merci, mec » et les autres l'ont imité. J'ai décidé de partager le tout avec tous les élèves qui le souhaitaient et les sourires sur leur visage m'ont réchauffé le cœur.

Derrière moi, j'ai entendu des applaudissements d'abord timides puis franchement déterminés. J'ai tourné les talons et j'ai aperçu Amanda qui m'acclamait. Tout le monde l'a imitée.

Je me suis retrouvé au beau milieu de toutes ces félicitations sonores et bruyantes et un frisson a électrisé tout mon corps. Je n'ai pas pu m'empêcher de sourire... et de rougir.

CHAPITRE 28

Le lendemain matin, nos valises étaient prêtes et nous les avions descendues avec nous dans la grande salle du restaurant où nous attendait notre dernier petit déjeuner à Rennes-le-Château. Les profs s'étaient levés et paraissaient attendre que tout le monde soit assis. Monsieur Plantard les avait ensuite rejoints. Au passage, il m'avait cherché dans l'assemblée et adressé un petit clin d'œil complice lorsqu'il avait croisé mon regard. Pour une fois, Amanda était assise à notre table, entre Thomas et Farid.

Monsieur Rodier a fait un pas en avant comme s'il allait faire un discours solennel et a déclaré à l'assemblée :

— Il ne nous reste que quelques heures à passer ici dans ce pittoresque petit village de Rennes-le-Château et au vu des événements d'hier, je voulais, au nom des professeurs et des adultes qui nous ont accompagnés dans ce voyage, vous donner à tous des explications.

Il s'est éclairci la gorge et a repris :

— Vous le savez, une tempête de neige sans précédent nous a contraints à changer nos plans et nous qui nous faisions une joie de pouvoir vous faire visiter le château de Montségur, nous avons dû changer notre fusil d'épaule. C'est madame Leroy qui a immédiatement pensé qu'une halte de quelques jours ici à Rennes-le-Château serait une expérience inoubliable. Et elle avait raison ! Seulement, quand nous avons senti que vous étiez un peu déroutés par le climat et les changements de dernière minute, j'ai eu l'idée de pimenter un peu votre séjour pour le rendre plus intéressant. Je me suis rapproché de monsieur Plantard et il a évoqué avec moi le fait qu'il organisait des chasses au trésor et toutes sortes de jeux de pistes pour amuser les enfants ici au domaine pendant l'été. Une splendide idée, me suis-je dit. Durant la période estivale, il y a beaucoup plus de personnel et les employés de monsieur Plantard se chargent habituellement eux-mêmes d'animer ce genre d'activités, mais je l'ai convaincu de ressortir plusieurs scénarios de chasses au trésor de ses tiroirs pour votre plus grand bonheur. Il a aussi accepté d'endosser le costume du grand méchant, que vous avez dû voir rôder à plusieurs reprises sur le domaine, de nuit comme de jour. Il existait un scénario pour chacun des groupes d'élèves et des indices avaient été plantés un peu partout le long des visites. C'est Olivier et son groupe qui étaient visiblement très en avance et qui ont su jouer de leur perspicacité pour déchiffrer toutes les énigmes menant au trésor.

— Mais ! Et notre punition ? ai-je osé en levant la main.

— Ah, ah ! a-t-il répondit en penchant la tête en arrière. Tout était prévu ! Nous savions que certains d'entre vous ne résisteraient pas à s'aventurer en dehors des horaires du couvre-feu et quand Amanda et toi avez été placés dans la maison de l'abbé Saunière pour y faire un devoir, nous voulions que vous y trouviez des indices.

— Donc, le devoir, il...

— Rassurez-vous, c'était juste un prétexte pour vous laisser sans surveillance dans la maison, il ne comptera pas, a-t-il coupé, au grand soulagement d'Amanda qui s'était soudain inquiétée de sa moyenne annuelle.

Il a marqué une pause, gratté sa barbe et a repris :

— Bien. Comme l'avait prévu la météo, nous allons pouvoir reprendre la route juste après le petit déjeuner. Tâchez tout de même d'avaler quelque chose, car un long voyage retour nous attend et nous ne nous arrêtons que vers 13 h pour déjeuner. Remarquez, si vous ne vous êtes pas goinfrés des sucreries qu'Olivier a gentiment distribuées hier soir, vous aurez de quoi tenir ! Sur ce, bonne continuation et vérifiez bien que vous n'oubliez rien dans votre chambre.

J'ai tourné la tête vers Amanda et elle a plongé son regard dans le mien. Elle m'a fait un grand sourire et m'a dit :

— Bravo, Oli, t'as assuré ! Et merci d'avoir partagé le trésor de Rennes-le-Château !

Au moment de partir, j'ai laissé le flot des élèves quitter la salle et je me suis approché du rondouillet monsieur Plantard. Il se tenait vers la grande cheminée, le regard plongé dans les flammes dansantes.

— Hé, monsieur !

— Oui, mon petit ? a-t-il dit de sa voix aussi grasse que ses joues.

— Toute cette histoire avec l'abbé Saunière qui fait des travaux dans l'église, qui trouve un parchemin et qui devient ensuite miraculeusement riche... c'est vrai ?

— Ah oui ! Toute cette histoire est vraie ! Évidemment, le texte sur le parchemin n'était pas celui que tu as brillamment déchiffré et il en va de même pour celui du tombeau dans la chapelle. Tout ça, c'est des petites trouvailles que j'ai moi-même concoctées pour les besoins des jeux de piste que j'organise pendant les vacances d'été.

J'ai réfléchi quelques secondes à ce qu'il venait de dire puis j'ai continué :

— Vous pensez que ce trésor existe vraiment ? ai-je finalement demandé.

— L'important, mon petit, ce n'est pas qu'il existe ou pas, mais qu'il y ait toujours des gens pour croire à sa réalité. C'est ça, la beauté de ce genre d'histoire.

J'ai acquiescé d'un mouvement de tête, j'ai empoigné ma valise à roulettes et je me suis dirigé vers la sortie, l'esprit envahi d'images de pièces d'or et d'énigmes mystérieuses.

CHAPITRE 29

J'étais le dernier à arriver au car. Alors que je me dépêchais de placer ma valise dans la soute sous les railleries de ma mère qui me demandait de me presser, j'ai aperçu Thomas et Amanda qui se chamaillaient gentiment. Elle riait à gorge déployée et semblait très amusée par ce qu'il avait à lui dire. J'ai eu immédiatement un petit pincement au cœur. Est-ce que j'étais jaloux de mon pote ?

J'ai secoué la tête pour faire fuir ce genre de pensée et je me suis approché d'eux. Avant même que j'arrive à leur hauteur, Amanda a glissé furtivement un petit bout de papier dans la main de Thomas, elle a déposé un bisou rapide sur sa joue et elle est partie en courant rejoindre l'autre car. Mon cœur a fait un bond.

— Hé ! T'es là, toi ? m'a-t-il dit avec une expression de surprise comme s'il avait été pris la main dans le sac.

— Bah, oui, je suis là, tu veux que je sois où ? ai-je répondu un peu trop sèchement à mon goût.

Ma mère nous a ordonné de nous dépêcher de monter à bord et à peine avons-nous rejoint nos places qu'elle faisait déjà l'appel en remontant l'allée centrale.

Assis du côté fenêtre, j'ai tourné la tête et regardé au loin la tour Magdala qui pointait derrière les vieux toits des maisons du village. Un nœud s'est formé dans mon estomac et je suis resté silencieux de longues minutes après que le bus a démarré et quitté Rennes-le-Château.

Nous avions atteint l'entrée de l'autoroute quand Thomas s'est tourné vers moi :

— Hé, Oli, ça va pas, mon pote ? m'a-t-il demandé en fronçant les sourcils.

— Si, si, ai-je menti.

— T'es triste de quitter le village ? De t'éloigner du véritable trésor ? a-t-il enchaîné sur un ton bienveillant. En tout cas, j'ai un truc qui va sûrement te consoler.

Intrigué, j'ai tourné le visage vers lui. Il a fouillé dans sa poche et m'a tendu une petite feuille de papier pliée en quatre.

— Tiens, c'est Amanda qui m'a donné ça pour

toi. Elle m'a fait promettre de ne pas te le remettre avant qu'on soit arrivés à la maison, mais tu me connais, j'ai pas pu résister.

Un grand sourire dévoilait toutes ses dents blanches et bien alignées. Une lueur de malice et de curiosité faisait briller ses yeux. Moi non plus, je n'ai pas pu m'empêcher de sourire à mon tour.

Je me suis saisi du bout de papier et de mes mains tremblantes, je l'ai déplié et j'ai lu :

« Désolée pour la façon dont je me suis comportée ces derniers temps et en particulier au début de ce voyage scolaire. Le peu de temps qu'on a passé ensemble me fait dire que j'aurais dû être à tes côtés plus tôt, mais je sais pas, parfois, je fais exactement le contraire de ce que je veux vraiment. Bref. Je voulais juste te dire que j'ai envie de passer plus de temps avec toi et d'apprendre à te connaître. Quand je suis chez ma mère, on est vraiment à quelques mètres l'un de l'autre, c'est quand même bête de ne pas se voir !

Je te propose qu'on se retrouve dès lundi après les cours. Si t'es d'accord, bien sûr. Et puis comme ça, on pourra réfléchir ensemble sur une idée que j'ai eue : tu crois pas que ce serait cool qu'on monte une sorte de club de chasseurs de trésors ? À nous deux, on ferait un malheur ! À plus. Bises, mon Oli. »

. . .

J'ai refermé le mot et affiché le plus grand des sourires. J'avais hâte d'être à lundi soir.

FIN

NOTES

CHAPITRE 1

1. Lire *Un voisin étrange*.

CHAPITRE 2

1. Lire *Un voisin étrange*.

CHAPITRE 3

1. Lire *Un voisin étrange*.

CHAPITRE 8

1. Lire *Un voisin étrange*.

CHAPITRE 9

1. Je suis le roi du monde !

CHAPITRE 10

1. Lire *Un voisin étrange*.

ET LA SUITE ALORS ?

Envie de continuer à lire les aventures d'Olivier, Amanda et Thomas ? D'autres mystères les attendent dans un prochain roman. Tous les jours j'écris leurs aventures et si vous souhaitez en savoir un peu plus et connaître la date de sortie en exclusivité, il suffit de vous rendre à l'adresse suivante :

www.floriandennisson.com/suite

UN VOISIN ÉTRANGE

Vous venez de finir *Un village étrange* sans avoir lu le premier tome de la série ? Voilà de quoi vous rattraper !

Pendant les vacances de la Toussaint, Olivier Leroy pénètre sans en avoir le droit sur le terrain d'une des maisons de son village et fait une découverte étrange ayant peut-être un rapport avec l'une des énigmes les plus célèbres de l'Histoire. Le lendemain, un voisin bizarre vient s'installer en face de chez lui, dans une maison délabrée dont personne n'a jamais voulu depuis des décennies. Puni et ayant interdiction de sortir de chez lui, Olivier va avoir beaucoup de mal à mener son enquête et résoudre les mystères qui s'accumulent autour de lui.

Comment obtenir ce livre ?

Rien de plus simple ! Vous pouvez vous le procurer dans toutes les versions de votre choix (e-book ou papier) en vous rendant sur ma boutique. Pour ce faire, tapez le lien suivant dans votre navigateur :

www.floriandennisson.com/boutique.

Sinon, rendez-vous auprès de votre libraire préféré et commandez-le !

ET MAINTENANT ?

Tout d'abord, je tiens à vous remercier pour votre confiance et j'espère de tout cœur que vous avez apprécié cette histoire. Si c'est le cas, rien ne me ferait plus plaisir qu'un petit commentaire de votre part au sujet du livre sur vos réseaux sociaux, sur vos sites littéraires favoris tels Babelio ou Bepolar, ou tout simplement sur la plateforme où vous vous êtes procuré ce roman.

D'un côté, ça aide grandement les éventuels lecteurs à faire leur choix et d'un autre, ça permet à un auteur indépendant comme moi d'obtenir un tout petit peu plus de visibilité dans cet océan de livres où les grandes maisons d'édition et les auteurs célèbres tiennent le haut du pavé.

C'est votre mission, j'espère que vous l'accepterez et ne vous inquiétez pas, ce message ne s'autodétruira pas dans cinq secondes !

RESTONS EN CONTACT !

Après avoir passé des mois à construire ce nouveau roman, c'est vous qui lui donnez vie en le lisant et pour ça, je dois vous remercier encore une fois chaleureusement. J'espère que vous avez pris autant de plaisir à vous plonger dans ce polar que j'en ai eu à l'écrire.

Je suis ce qu'on appelle un auteur indépendant, c'est à dire que je me charge de toutes les étapes de la publication de chaque livre de A à Z. Même si j'ai la chance d'être accompagné par mes bêta lectrices et lecteurs, par ma correctrice et par tous ceux qui m'aident au quotidien, c'est une énorme charge et une entreprise bien solitaire qui me laisse néanmoins une grande liberté. Notamment celle de pouvoir être au plus près de mes lectrices & lecteurs à toutes les étapes de la conception d'un nouveau roman, et ça, ça n'a pas de prix.

L'aventure ne s'arrête donc pas là ! Et la meilleure façon pour me retrouver, connaître les sorties de mes prochains romans, bénéficier de promotions exclusives, recevoir des livres gratuits et tout savoir sur l'envers du décor de mon métier d'écrivain, c'est en vous inscrivant à mon **Groupe de lecteurs** ici :

www.floriandennisson.com/inscription

Pour le reste, je suis également présent sur les différents réseaux sociaux et vous pourrez en savoir plus sur mes inspirations, ma façon de travailler, mes personnages, mes coups de cœur et mes coups de gueule lecture, etc.

Rejoignez-moi avec d'autres lecteurs ici :

MES AUTRES ROMANS

Découvrez mon univers

LA LISTE

Quatre noms sur une liste. Quatre victimes introuvables. Comment les identifier et briser le silence ?

L'adjudant Maxime Monceau, spécialiste du langage non verbal, se voit chargé d'enquêter sur une affaire mystérieuse qui met la Brigade de recherches dans une impasse. Un homme étrange s'est présenté de lui-même à la gendarmerie pour s'accuser d'assassinat.

Problème, hormis une unique phrase qu'il psalmodie en boucle, l'inconnu reste totalement muet sur son identité et les raisons qui l'ont poussé à l'acte.

L'horloge tourne et, sans constatations ni

victimes, ce suspect pourrait se retrouver en liberté et continuer sa folie meurtrière.

Ce que les lecteurs en disent :

"C'est mon premier livre de cet auteur, et je suis ravie de l'avoir choisi. En effet, l'intrigue est bien menée, les personnages sont attachants et bien sûr, la cerise sur le gâteau, la fin très inattendue ...

A lire sans hésiter !"

— MIREILLE83 : ★★★★★

"Bel objet, rythme qui nous tient en haleine. On tourne les pages sans même s'en rendre compte pour connaître la suite, s'enfoncer encore plus dans l'univers de Florian Dennisson que j'adore toujours plus à chaque nouveau roman. Des descriptions parfaitement menées, une bonne intrigue, un personnage principal attachant, mystérieux, bref, un excellent roman !!! MERCI !"

— VIRGINIE LAFORME : ★★★★★

Comment obtenir ce livre ?

Rien de plus simple ! Vous pouvez vous le procurer dans toutes les versions de votre choix (e-book, papier et même en audio !) en vous rendant sur ma boutique. Pour ce faire, tapez le lien suivant dans votre navigateur :

www.floriandennisson.com/boutique.

Sinon, rendez-vous chez votre libraire préféré et commandez-le !

MACHINATIONS

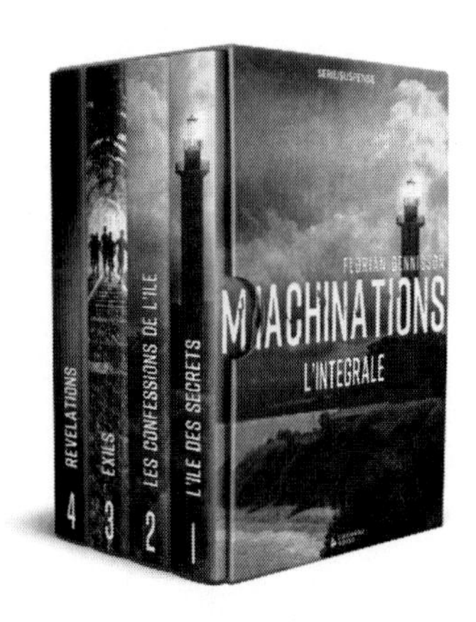

Une île privée et recluse, cinq prétendants à un mystérieux héritage, aucune issue...

Naima, Eugénie, Hugo, Bertrand et Victor ne se connaissent pas, pourtant ils vont tous se retrouver au même endroit, dans un port de Bretagne un soir d'hiver, après avoir reçu un courrier au sujet d'un héritage provenant d'un riche ancêtre dont l'identité est jalousement gardée secrète.

Un bateau doit les amener sur une île dont ils ne savent rien et peu après leur arrivée, le huis clos va virer au cauchemar. Pour protéger leurs vies dans un piège qui ne semble avoir aucune issue, ils vont devoir découvrir qui tire les ficelles de cette étrange machination ?

Ce que les lecteurs en disent :

"Laissez-vous embarquer par ce thriller. Une fois commencé, chaque page est un rebondissement, pas de longueurs inutiles, du pragmatisme. Ce fut un régal de lire ce livre tout à fait dans la ligne des autres romans de l'auteur que je vous encourage à lire."

— STBFH : ★★★★★

"Après un démarrage ressemblant aux "10 petits nègres", avec ses disparitions les unes après les autres... Je me demandais comment la suite du roman allait être. Je n'ai pas été déçue pas la suite. Il s'agit d'un polar, dont le suspense est haletant. Les personnages sont attachants. Je recommande vivement !"

— ANDEL LAURENCE : ★★★★★

Comment obtenir ce livre ?

Rien de plus simple ! Vous pouvez vous le procurer dans toutes les versions de votre choix (e-book, papier et même en audio !) en vous rendant sur ma boutique. Pour ce faire, tapez le lien suivant dans votre navigateur :

www.floriandennisson.com/boutique.

Sinon, rendez-vous chez votre libraire préféré et commandez-le !

LIBERTÉ CONDITIONNELLE

Après un premier **roman n°1 des Meilleures ventes Policier & Suspense**, plongez dans le suspense de *Liberté conditionnelle*.

Un ancien bandit, de vieilles connaissances qui refont surface et la police qui s'en mêle : c'est le cocktail explosif de ce roman policier aux allures de polar noir.

Quinze ans après le casse du siècle, Romeo Brigante croit couler des jours paisibles en jouant les tenanciers de bar, mais il est très vite rattrapé par ses fantômes du passé. En conditionnelle et suivi de près par la commandante Sofia Van Deren et son équipe, il va devoir choisir son camp : tourner définitivement le dos au milieu du banditisme ou refuser de coopérer avec la police et risquer un retour en prison ?

Ce que les lecteurs en disent :

"Excellent moment que j'ai partagé avec les personnages de ce polar à la française. L'intrigue est au top, on se laisse aller auprès de ce vieux taulard (pas si vieux en fait). L'écriture est elle aussi d'un haut niveau et participe activement à l'ambiance. Personnellement c'est le deuxième livre de cet auteur que j lis et je ne suis pas déçu . À lire absolument."

— ERIC13190 : ★★★★★

"L'histoire est bien enlevée, trépidante, écrite dans un style rapide sans temps morts. Le suspense est maintenu jusqu'à la fin. Une fois le livre terminé on a envie de connaître la suite des aventures de Romeo Brigante et de son entourage."

— KRIS : ★★★★★

Comment obtenir ce livre ?

Rien de plus simple ! Vous pouvez vous le procurer dans toutes les versions de votre choix (e-book, papier et même en audio !) en vous rendant sur ma boutique. Pour ce faire, tapez le lien suivant dans votre navigateur :

www.floriandennisson.com/boutique.

Sinon, rendez-vous chez votre libraire préféré et commandez-le !

TÉLÉSKI QUI CROYAIT PRENDRE

Plus de **60 000 lecteurs** on plongé dans cette nouvelle aventure du Poulpe dans le style de ses origines en hommage à Jean-Bernard Pouy.

Privé de son quotidien de prédilection, Gabriel Lecouvreur, dit le Poulpe, se retrouve à éplucher les faits divers d'un journal de province. Il s'entiche d'une affaire étrange qui va le mener dans la noirceur des secrets d'une des familles les plus puissantes de Courchevel.

Un magnat du monde de la nuit laissé pour mort au beau milieu de son chalet de luxe et de vieilles connaissances de Gabriel accusées à tort, c'est le Poulpe au pays de l'or blanc.

Ce que les lecteurs en disent :

"Titre qui donne envie de lire ce roman que j'ai tout simplement dévoré. Je l'ai trouvé bien écrit, bien tourné avec beaucoup d'humour et de jeux de mots, je ne me suis pas ennuyée. C'est agréable d'avoir des intrigues qui se passent en France. Je ne peux que vous le conseiller."

— ANGÉLIQUE : ★★★★★

"Super ! Florian Dennisson fait revivre Le Poulpe. Qui plus est dans cette belle région des Alpes que l'auteur connaît bien, pour être originaire d'Annecy. L'histoire est bien torchée et Le Poulpe défait les fils emmêlés avec une dextérité de semi-professionnel désinvolte. J'ai passé un bon temps à lire ce livre. Bravo et merci."

— JEFPISSARD : ★★★★★

Comment obtenir ce livre ?

Rien de plus simple ! Vous pouvez vous le procurer dans toutes les versions de votre choix (e-book, papier et même en audio !) en vous rendant sur ma boutique. Pour ce faire, tapez le lien suivant dans votre navigateur :

www.floriandennisson.com/boutique.

Sinon, rendez-vous chez votre libraire préféré et commandez-le !

69, rue de Provence, 75009 Paris

www.chambre-noire-editions.com

Achevé d'imprimer en Pologne

Dépôt légal juillet, 2020

Made in United States
North Haven, CT
28 December 2022